Chère Lectrice,

En ouvrant ce livre de la Série Harmonie, vous entrez dans le monde magique de l'aventure et de l'amour.
Vous connaîtrez des moments palpitants, vous vivrez avec l'héroïne des émotions inconnues.
Duo connaît bien l'amour. La Série Harmonie vous passionnera.

Harmonie : des romans pour faire durer votre plaisir,
deux nouveautés par mois.

Un château en Cornouailles

Série Harmonie

NORA ROBERTS
Pour une rose sauvage...

Duo
Les livres que votre cœur attend

Titre original : *Boundary Lines* (114)
© 1985, Nora Roberts
Originally published by SILHOUETTE BOOKS,
division of Harlequin Enterprises Ltd,
Toronto, Canada

Traduction française de : M. A. Gallice
© 1986, Edimail S.A.
53, avenue Victor-Hugo, 75116 Paris

Chapitre 1

Chargé de parfums printaniers, le vent s'engouf-
frait dans la chevelure de Jillian. Elle offrit son
visage à cette caresse aérienne comme pour en
défier l'enivrante puissance. Sa jument devait
éprouver la même griserie car, d'elle-même, elle
accéléra l'allure. Monture et cavalière galopaient dans la plaine comme deux âmes libres,
foulant l'herbe drue et les fleurs sauvages qui
s'étendaient à perte de vue.

Bientôt les sabots du cheval claquèrent sur un
sentier de terre brune bordé de buissons de
sauge, aux reflets argentés. Aucun arbre ne
projetait d'ombre sur cette mer de verdure
écrasée de soleil. Mais la jeune femme n'en
craignait pas la morsure. Les champs de blé
ondoyaient sous une brise légère, la luzerne déjà
haute promettait de riches moissons.

Jillian reconnut au loin le chant d'une
alouette.

Quand on qualifiait sa propriété de ferme elle
riait ou se fâchait, selon son humeur. Car tout ce
que produisaient ces terres ne servait qu'à une
chose : nourrir le bétail.

Oui, Jillian dirigeait bien un ranch. Utopia,
fondé deux générations plus tôt, lui avait été
légué par·son grand-père.

Mais si elle le parcourait aujourd'hui, ce

n'était pas pour vérifier les clôtures ou dénombrer les bêtes. Elle n'avait pas non plus l'intention de se plonger dans les comptes. Non, aujourd'hui, Jillian se donnait quartier libre afin de profiter du domaine en toute sérénité.

La jeune femme se considérait comme une fille du pays bien que les vastes plaines du Montana ne l'aient pas vue grandir. Son père n'avait pas jugé bon de perpétuer la tradition familiale et, bravant les foudres paternelles, il s'était établi à Chicago pour y exercer la médecine. Mais elle ne lui en tenait pas rigueur. Après tout, chacun est libre de choisir le mode de vie qui lui convient. Forte de cette philosophie elle était venue s'installer au ranch à l'âge de vingt ans et elle y travaillait maintenant depuis cinq ans, sans avoir regretté son choix un seul instant.

Jillian arrêta son cheval en haut d'une colline qui dominait la propriété.

La mosaïque des champs de céréales faisait place, au loin, aux pâturages dont les clôtures à peine visibles permettaient d'imaginer une vaste étendue où les troupeaux paissaient en toute liberté. C'est d'ailleurs ce spectacle que ses ancêtres avaient découvert un siècle plus tôt lorsqu'ils étaient arrivés dans la région, à la recherche d'hypothétiques filons. Le métal jaune les avait attirés mais la terre les avait conquis. Comme elle l'avait conquise elle-même.

L'or, songea-t-elle, en hochant dédaigneusement la tête... Les richesses qu'offrait cette nature prodigue valaient bien toutes les pépites du monde.

Si les espoirs de ces hardis pionniers avaient été couronnés de succès, ils auraient fouillé le sol, l'auraient criblé de galeries profondes. Et c'eût été regrettable ! Nul trésor ne pouvait être plus précieux que ce paysage. Elle avait compris la valeur de cette terre dès qu'elle l'avait découverte, à l'âge de dix ans.

A la demande de son grand-père elle était venue passer ses vacances d'été à Utopia en compagnie de son frère Mark. Ce dernier, de six ans son aîné, ressemblait beaucoup trop à son père pour apprécier la vie simple et rude du ranch.

La première impression que celui-ci produisit sur elle ne la surprit pas. Il était pourtant bien différent de l'image qu'en ont la plupart des enfants avec ses bâtiments ordonnés, ses enclos bien tracés et le charme désuet de sa demeure principale. Pourtant, malgré son jeune âge, elle comprit en le voyant qu'elle n'était pas faite pour le confinement de la ville mais pour ces vastes étendues et cette existence au grand air. Elle venait d'éprouver son premier coup de foudre.

Mais les sentiments que lui inspirait son grand-père étaient tout différents. Vieillard têtu et emporté, il n'avait d'autre passion que son ranch et ses bêtes. Aussi eut-il bien du mal à se mettre à la portée de sa petite-fille. Un jour, il commit l'imprudence de critiquer la profession de son fils. L'enfant prit aussitôt la défense de son père et la discussion dégénéra vite en une violente dispute.

Cependant, loin de renforcer leurs divergences, cette altercation les rapprocha et, lorsque Jillian dut regagner Chicago, ils se séparèrent, sinon bons amis, du moins sans rancune.

Puis il lui envoya un magnifique chapeau de cow-boy pour son anniversaire. La glace était brisée.

Sans doute en arrivèrent-ils à s'aimer très fort, justement parce qu'ils avaient pris le temps de faire connaissance. Tout ce qu'elle savait c'est de lui qu'elle le tenait : comment prévoir le temps en humant l'air ou en observant le ciel, comment mettre au monde un petit veau, comment rabattre une bête égarée.

Elle l'appela Clay en raison de leur profonde amitié et, quand elle fuma en cachette sa première cigarette qui la rendit malade, il lui tint le front sans la réprimander.

Lorsque la vue du vieillard faiblit elle s'occupa des comptes. Ils n'eurent pas besoin d'en convenir. La passation de pouvoirs se fit tout naturellement et, tout aussi naturellement, elle s'installa à Utopia, l'été de ses vingt ans.

Quand il mourut elle se retrouva seule à la tête du ranch. Clay le lui avait légué par testament bien que cette précaution fût purement formelle. Jillian avait déjà tiré un trait sur Chicago même si certains souvenirs la poursuivaient encore.

La disparition brutale de son grand-père affecta terriblement la jeune femme. Pourtant la mort avait épargné à Clay les affres de la maladie et de la vieillesse. Il avait forgé son propre destin à force de lutte et de ténacité et il n'aurait pas supporté l'humiliation d'une quelconque dépendance. S'il l'avait vue se lamenter, il n'aurait pas manqué de lui reprocher ses larmes :

« Pour l'amour du ciel, jeune écervelée, cesse donc de t'apitoyer sur ton propre sort ! Tu ferais mieux de vérifier les clôtures avant que nos bêtes ne s'égaillent dans tout le Montana. »

Oui, se dit-elle avec un sourire ému, voilà probablement le genre de discours qu'il aurait

8

tenu. Et elle ne se serait pas gênée pour répondre sur le même ton :

« Espèce de vieil ours mal léché. Je vais faire d'Utopia le premier ranch de la région rien que pour te montrer ce dont je suis capable. »

La jument piaffa.

— Ne t'impatiente pas, Dalila. Nous avons toute la journée devant nous.

Elle tira sur les rênes et la bête pivota pour repartir au petit trot.

Jillian appréciait d'autant plus ces moments de détente qu'ils lui étaient comptés. Le sentiment de les avoir usurpés les rendait plus excitants encore. Et s'il lui fallait mettre les bouchées doubles, le jour suivant, pour rattraper le temps perdu, elle s'y résoudrait sans protester. Même s'il s'agissait de corvées administratives, se dit-elle avec un soupir. Mais elle devait également s'occuper de cette génisse malade, de cette satanée Jeep qui en était à sa troisième panne depuis le début du mois, et vérifier aussi les kilomètres de clôture qui séparaient sa propriété de celle des Murdock.

La seule évocation de ce nom lui arracha une grimace. La querelle entre les deux familles durait depuis la fin du siècle dernier, époque à laquelle l'arrière-grand-père de Jillian s'était installé dans la région. Les Murdock y étaient déjà établis depuis plusieurs générations. Ils considérèrent aussitôt les Baron comme des intrus dont l'entreprise était vouée à l'échec.

Jillian serra les dents en songeant aux histoires que lui racontait son grand-père : barrières cassées, bêtes volées, récoltes saccagées.

Mais les Baron ne s'étaient pas découragés et ils avaient fini par réussir. Bien sûr, ils ne jouissaient pas d'une propriété aussi vaste que leurs riches voisins mais ils s'accommodaient du peu qu'ils possédaient. Et si, à l'instar de Paul Murdock, Clay avait eu la chance de trouver du pétrole sur ses terres, il aurait pu, lui aussi, se spécialiser dans l'élevage d'animaux de concours, songea-t-elle avec une moue dédaigneuse.

Mais après tout, peu lui importaient les honneurs et les récompenses. Elle les abandonnait volontiers au clan Murdock qui pouvait bien caracoler en brandissant ses trophées et en s'enorgueillissant d'améliorer l'espèce. Depuis combien de temps n'avait-on pas vu un seul de ses membres tremper sa chemise sous le soleil du Montana ? Ils ne s'intéressaient plus qu'aux chiffres alignés dans leurs livres de comptes. Mais quand elle aurait atteint le but qu'elle s'était fixé, le Double M ferait, en comparaison d'Utopia, l'effet d'un ranch d'opérette.

Cette résolution lui rendit sa bonne humeur et le pli soucieux qui barrait son front s'effaça aussitôt. Aujourd'hui elle refusait de penser aux Murdock ou au dur labeur qui l'attendait le lendemain, au petit jour. Non, elle avait décidé de profiter pleinement de ces délicieux moments de détente qu'elle s'était généreusement octroyés.

Jillian connaissait par cœur le sentier qu'elle venait d'emprunter. Il conduisait à l'extrémité ouest du ranch. Trop rocailleuse pour être labourée, trop accidentée pour accueillir les troupeaux, cette parcelle était laissée en friche. C'était toujours là qu'elle se réfugiait quand elle cherchait un peu de solitude. Jamais aucun de ses hommes ne s'y aventurait, pas plus d'ailleurs que ceux du Double M. Même la clôture qui séparait autrefois les deux propriétés avait fini par disparaître, faute d'entretien. Personne ne se souciait de cette terre ingrate, ce qui la rendait encore plus précieuse aux yeux de la jeune femme. Les peupliers et les trembles y croissaient librement.

Le chant d'une fauvette couvrit un instant le claquement des sabots. Ces fourrés cachaient sans doute également des coyotes et des serpents à sonnettes. Malgré son euphorie, Jillian restait sur le qui-vive et une carabine chargée pendait au flanc de la jument. Elle lâcha la bride pour laisser l'animal se diriger vers un petit étang. Aussitôt, elle fut prise d'une irrésistible envie de se débarrasser de ses vêtements poussiéreux pour se glisser délicieusement dans cette eau limpide.

Mais, alors qu'elle s'apprêtait à sauter de selle, Dalila sentit une odeur insolite et se cabra. Avant qu'elle ait pu comprendre ce qui lui arrivait, la jeune femme bascula tête première dans la mare. Quand elle en émergea, en pestant et en soufflant, elle aperçut un cavalier qui l'observait d'un air goguenard. Il montait un magnifique étalon qui avait, bien entendu, affolé la jument.

Elle écarta de ses yeux les mèches dégoulinantes pour mieux détailler l'intrus. Il devait être grand à en juger par sa carrure imposante. Des cheveux bruns et bouclés dépassaient du Stetson qui projetait une ombre sur son visage basané. Son nez aquilin et ses lèvres bien dessinées lui donnaient un air aristocratique. Il montait son cheval avec une telle aisance qu'il semblait ne faire qu'un avec sa monture.

11

Mais Jillian n'eut pas le loisir d'admirer sa prestance tant elle subissait la fascination de son regard. Les prunelles de l'étranger, presque aussi noires que ses cheveux, brillaient d'un éclat malicieux.

— Qu'est-ce que vous fichez sur mes terres ? lança-t-elle furieuse.

Il accueillit sa question d'un imperceptible haussement de sourcils. De toute évidence, il prenait le temps de la contempler avant de répondre. La chevelure ruisselante de la jeune femme scintillait de reflets acajou et encadrait merveilleusement son visage, à l'ovale parfait. Ses yeux de jade rehaussaient la finesse de ses traits et la délicatesse de son teint de pêche. Bien que crispées par la fureur, ses lèvres gardaient une grande sensualité qui contrastait étrangement avec son menton volontaire.

Il détailla nonchalamment sa silhouette élancée. On n'aurait pu qualifier ses formes d'opulentes mais l'eau qui plaquait sa chemisette contre son buste laissait deviner les fermes rondeurs de sa poitrine.

De nouveau, ses prunelles se posèrent sur le visage de la jeune femme. Elle avait subi l'examen sans rougir et trouvait même le cran de lui lancer un regard glacial qui en aurait découragé plus d'un.

— Je vous ai demandé ce que vous fichiez sur mon domaine, répéta-t-elle en détachant chaque syllabe.

Pour toute réponse il mit pied à terre avec une aisance surprenante pour un homme de sa stature. Puis il se dirigea vers elle de cette démarche chaloupée propre aux cow-boys.

Quand il atteignit le bord de l'étang il lui

12

sourit et, de dangereusement fascinant, son regard devint dangereusement désarmant. Vous pouvez me faire confiance... pour l'instant, proclamait ce sourire.

Il lui tendit la main pour l'aider à sortir de l'eau.

— Madame...

Jillian prit une profonde inspiration puis, sans prêter attention à cette main offerte, elle se hissa sur la berge.

Trempée, glacée mais loin d'être calmée, elle se planta devant lui les poings sur les hanches.

— Vous n'avez pas répondu à ma question.

Elle ne manque pas de courage, se dit-il sans cesser de l'observer. Cette constatation lui plut. Il glissa les pouces dans les passants de sa ceinture pour répondre avec un accent légèrement traînant :

— Ce n'est pas votre domaine, mademoiselle... ?

— Baron. Et vous, qui êtes-vous pour en juger ? rétorqua-t-elle d'un ton sec.

Il inclina le rebord de son chapeau avec plus d'insolence que de respect.

— Adam Murdock.

La jeune femme retint son souffle et il salua sa réaction d'une moue ironique.

— La ligne de partage entre nos deux propriétés passe au beau milieu de cet étang. Et je crois que vous avez atterri du mauvais côté, ajouta-t-il avec un sourire moqueur.

Adam, l'unique héritier du clan Murdock ! Jillian le croyait à Billings en train de s'occuper des intérêts pétroliers de la famille. En tout cas il n'avait rien de l'universitaire chétif que lui avait décrit son grand-père. Mais le moment n'était pas à ce genre de considération. Il lui fallait, avant tout, remettre cet impertinent à sa place.

— Si j'ai atterri, comme vous dites, de votre côté, vous en êtes entièrement responsable. Quel besoin aviez-vous de rôder dans les environs avec cet animal ?

Elle désigna du doigt l'étalon et ne put s'empêcher de l'admirer au passage. Quelle bête magnifique !

— Vous n'auriez pas dû lâcher les rênes.

Cette remarque irrita d'autant plus Adam Murdock qu'elle était parfaitement justifiée.

— Son odeur a affolé Dalila.

— Dalila ?

Une expression amusée se peignit sur ses traits. Il rejeta son chapeau en arrière et contempla la jument d'un air perplexe.

— Quelle coïncidence !... Samson !

A l'appel de son nom l'étalon se dirigea vers son maître et nicha son museau contre son épaule.

Jillian parvint à grand-peine à réprimer un fou rire tandis qu'une petite fossette au coin de sa bouche trahissait son hilarité.

— Eh bien ! Ne laissez pas votre étalon approcher ma jument si vous ne voulez pas qu'il subisse le sort que Dalila a réservé à Samson.

— Jolie petite pouliche, hein ? dit Adam en s'adressant à son cheval.

Mais tandis qu'il caressait l'encolure de la bête son regard restait posé sur la jeune femme.

— Un peu efflanquée peut-être, mais bien bâtie. Certainement une merveilleuse poulinière.

Jillian plissa les paupières mais Adam surprit tout de même l'éclat menaçant de ses prunelles.

— L'aptitude de Dalila à la reproduction ne vous concerne en rien, Murdock. Si vous me disiez plutôt ce qui vous amène ici. Je doute fort que vous découvriez du pétrole dans le coin.

— Je n'espérais pas en trouver. Et je m'attendais encore moins à tomber sur une ravissante jeune femme, ajouta-t-il en soulevant délicatement une mèche plaquée sur son front.

Le cœur de Jillian se mit à battre plus vite. Elle identifia aussitôt ce symptôme, elle qui se croyait définitivement à l'abri de ce genre de faiblesse ! Elle posa son regard sur les doigts qui emprisonnaient ses cheveux puis, de nouveau, sur le visage d'Adam Murdock.

— Si vous tenez à votre main je vous conseille de la retirer immédiatement.

Il parut hésiter un instant comme s'il se demandait s'il allait relever son défi. Puis il laissa retomber la mèche avec autant de désinvolture que lorsqu'il s'en était emparé.

— Susceptible, hein ? Il est vrai que les Baron ne sont pas réputés pour leur sens de l'humour.

— Dites plutôt qu'ils ne se laissent pas marcher sur les pieds.

Ils s'observèrent un instant comme deux lutteurs avant le combat, chacun étonné de l'étrange plaisir que leur procurait cette confrontation. Leur raison leur intimait à tous deux la prudence mais ils avaient habituellement bien du mal à suivre ce genre de conseil.

— Je suis désolé pour votre grand-père, déclara enfin Adam.

La jeune femme ne baissa pas le menton mais une ombre soudaine assombrit son regard. Elle l'aimait certainement beaucoup, constata-t-il avec une légère surprise. De ses rares entrevues avec Clay Baron, Adam gardait le souvenir d'un homme passablement antipathique. Il fouilla sa mémoire pour rassembler les bribes d'informations recueillies depuis son retour au Double M.

— Vous êtes cette jeune fille qui avait l'habitude de passer ici ses vacances d'été. Jill, c'est bien ça ?

— Jillian.

Le visage d'Adam s'éclaira de nouveau d'un sourire.

— Ah ! Oui, Jillian ! Ce prénom vous va beaucoup mieux.

— Mademoiselle Baron me convient davantage, rétorqua-t-elle froidement.

Adam ne prêta pas attention à son hostilité manifeste. Il continuait à contempler son visage en se demandant s'ils avaient pu se rencontrer autrefois. Non, on n'oubliait pas de tels yeux, ni une telle bouche.

— Avec Jim Haley à la tête du ranch vous n'avez aucun souci à vous faire.

— C'est moi qui dirige Utopia.

— Vous ?

— Parfaitement. Je ne suis pas un rond-de-cuir, moi ! Ce ranch m'appartient, chaque pouce de terrain, chaque brin d'herbe mais, à la différence de certains, je ne le gère pas depuis de lointaines métropoles, bien au chaud dans mon bureau.

Perplexe, il s'empara de ses mains et les examina malgré ses protestations. Elles étaient fines mais vigoureuses.

— Eh bien ! murmura-t-il d'un ton admiratif.

Jillian était furieuse. Il retenait ses mains prisonnières sans effort apparent et elle ne pouvait empêcher son cœur de battre la chamade.

16

La fauvette avait repris son chant et couvrait d'un joyeux trille le frémissement du vent dans les arbres.

Il sentait bon le cuir et l'eau de toilette. Beaucoup trop bon. Un cercle ambré autour de ses iris en soulignait le brun profond. Une petite cicatrice courait sur sa joue gauche, si fine qu'on ne pouvait la voir que de très près. Et on ne pouvait constater la force et la douceur de ses doigts que s'ils étaient posés sur vous.

Jillian battit brusquement en retraite. Ce genre de considération était beaucoup trop dangereux. Il ne fallait pas qu'elle se laisse bercer par les murmures insidieux de son cœur. Elle savait trop bien où menait ce genre de faiblesse : à la dépendance, à la soumission. Elle en avait fait l'expérience cinq ans plus tôt et elle s'était bien juré de ne plus jamais tomber dans le piège. Et il ne fallait surtout pas qu'elle oublie qui était son interlocuteur : un Murdock.

— Il me semble vous avoir déjà mis en garde : vous avez des gestes importuns.

— C'est exact, reconnut-il en scrutant son visage. Pourquoi ?

— Je ne supporte pas qu'on me touche.

— Ah non ?

Il haussa un sourcil mais ne la relâcha pas pour autant.

— On dirait que quelqu'un vous a fait du mal, Jillian.

— Vous empiétez sur un domaine qui ne vous appartient pas.

— Peut-être faudra-t-il se résoudre à dresser une nouvelle clôture.

Elle savait qu'il ne s'était pas mépris sur le

sens de ses paroles. Cette fois lorsqu'elle voulut reculer il ne tenta pas de la retenir.

— Un conseil : restez de votre côté de la barrière.

Il rajusta son Stetson dont l'ombre lui dissimula de nouveau le visage.

— Et si je passe outre ?

— Eh bien ! Vous aurez affaire à moi, rétorqua-t-elle en redressant le menton.

Puis elle tourna les talons et se dirigea vers Dalila qu'elle enfourcha avec aisance. Après avoir coiffé son chapeau encore dégoulinant elle lança à Adam un regard hautain.

— Bonnes vacances, Murdock. Et surtout ne vous fatiguez pas trop pendant votre séjour ici.

Il s'approcha de la jument dont il flatta le flanc.

— Voilà un conseil que je m'efforcerai de suivre, Jillian.

— Mademoiselle Baron, rectifia-t-elle en se penchant vers lui.

A la grande surprise de la jeune femme, il attrapa la lanière de son couvre-chef pour l'obliger à se pencher davantage.

— Jillian résonne plus agréablement à mes oreilles.

Elle préféra rire de son impertinence plutôt que de prêter attention aux battements effrénés de son cœur. D'un geste ferme, elle repoussa sa main et se redressa sur sa selle.

— Vous me décevez, Murdock. Je pensais que l'université inculquait des manières plus raffinées.

Il enfonça les poings dans ses poches et la contempla sans mot dire. Les reflets du soleil

dans sa chevelure fauve et dans ses yeux émeraude le fascinaient.

— Je tâcherai de m'améliorer, murmura-t-il.
Je vous promets de faire mieux la prochaine fois.

— Il n'y aura pas de prochaine fois, lança-
t-elle d'un ton railleur en faisant pivoter son
cheval.

Mais il s'empara aussitôt des rênes. Elle lut
dans son regard un mélange de gravité et de
malice.

— Je vous croyais plus perspicace. Je suis
persuadé, pour ma part, que nous aurons de
nombreuses occasions de nous revoir.

Comment la situation avait-elle pu basculer
aussi vite en sa faveur ? Jillian n'aurait su le dire,
mais elle se sentait soudain subjuguée par son
extraordinaire assurance.

Il lui adressa un sourire désinvolte, tapota le
cou de la jument et se dirigea vers son propre
cheval.

— A bientôt, Jillian.

Elle fulminait littéralement. Mais elle attendit
qu'il fût en selle pour le rejoindre.

— Restez de votre côté, ordonna-t-elle avant
d'éperonner sa monture.

Tandis qu'Adam la regardait s'éloigner, Samson secoua sa crinière en piaffant.

— Tout doux, Samson, chuchota-t-il. Nous
avons perdu cette manche mais la partie est loin
d'être terminée.

Sur ces mots il lança l'étalon dans la direction
opposée.

Jillian trouva dans la vitesse et la violence du
vent un apaisement à sa colère. Elle lâcha la
bride sur le cou de Dalila qui choisit sa propre
allure : le triple galop. Sans doute l'animal

éprouvait-il aussi le besoin de calmer le tumulte de ses sens. L'étalon était aussi splendide que son maître. S'il avait appartenu à tout autre qu'un Murdock, Jillian n'aurait pas hésité à offrir une fortune à son propriétaire pour l'accoupler à Dalila. Elle ne pouvait compter que sur elle pour agrandir son haras et aucun étalon du ranch n'arrivait à la cheville de Samson.

Malheureusement, Adam Murdock n'avait rien de l'homme d'affaires poli et ennuyeux qu'elle avait imaginé. Les sentiments que lui inspirait son rival ne la mettaient pas en position de force pour traiter une affaire.

Or, elle avait besoin de toute sa lucidité. Maintenant, plus que jamais. Car les six prochains mois risquaient de s'avérer décisifs pour l'avenir du ranch. Oh ! Bien sûr, elle aurait pu se contenter des maigres bénéfices qu'elle obtenait déjà et qui lui permettaient de faire face aux créances. Mais elle avait hérité la ténacité de son grand-père. En y associant la fougue et l'ambition de sa jeunesse, et si la chance lui souriait, elle ferait d'Utopia cet empire dont avaient rêvé ses ancêtres.

Elle avait déjà versé le premier acompte sur l'achat d'un petit avion. Cet appareil permettrait de patrouiller le ranch en quelques heures, de localiser les bêtes égarées, de signaler les clôtures endommagées. Sans pour autant nier l'utilité du traditionnel cow-boy, Jillian comprenait l'intérêt qu'offraient les techniques nouvelles.

Les véhicules tout terrain sillonnaient maintenant les collines aussi facilement que des chevaux mais, quand il ne pendait pas à la selle, le lasso ornait la roue de secours des Jeeps. Et, même si le butane remplaçait l'antique feu de bois, on marquait toujours les bêtes au fer rouge. Les méthodes changeaient mais l'esprit restait le même. Car, tout comme autrefois, l'élevage dépendait de deux éléments essentiels : le ciel et la terre. Comme le premier se montrait souvent capricieux et la seconde parfois bien avare, le cow-boy ne pouvait, finalement, compter que sur lui-même. Telle était la philosophie de Jillian.

Elle traversa une prairie où un troupeau paissait tranquillement. A son passage, les paisibles bovins levèrent à peine leur mufle rose. L'herbe tendre de ce début de printemps était beaucoup trop savoureuse pour qu'ils s'en laissent bien longtemps distraire. Tout à coup, la jeune femme entendit le ronronnement d'un moteur. Elle fit halte et huma l'air, imitée par la jument. Une désagréable odeur d'essence parvint à ses narines. Avec résignation elle lança son cheval en direction du bruit.

Elle n'eut aucun mal à localiser la vieille Jeep. Elle s'approcha du véhicule en agitant joyeusement la main à l'adresse du conducteur qu'elle venait de reconnaître.

Jim Haley était un cow-boy comme on n'en faisait plus. Il n'aurait probablement rien demandé de mieux que de parcourir les collines à cheval comme au bon vieux temps avec, pour tout bagage, un lasso, une couverture roulée et sa blague à tabac.

— Jim !

Jillian s'arrêta à la hauteur de sa portière et lui décocha un large sourire.

— Je me demandais où tu étais passée, déclara-t-il avec son laconisme habituel.

La jeune femme salua d'un petit signe de tête les deux hommes qui l'accompagnaient.

— Qu'est-ce qui vous amène par ici ? s'enquit-elle.

— Un de ces stupides ruminants s'est empêtré dans la clôture, un peu plus haut.

Il plissa les paupières et entreprit de se rouler une cigarette.

— Heureusement, il n'y a pas trop de dégât.

— Personne n'a vérifié la clôture de la parcelle ouest ?

— Non.

— Bon, je m'en charge.

La jeune femme hésita un instant puis se décida à poursuivre. Après tout, Jim était mieux placé que personne pour la renseigner.

— Je suis tombée sur Adam Murdock il y a environ une heure, dit-elle d'un air détaché. Je le croyais à Billings.

— Il est rentré.

— Merci du renseignement, répliqua-t-elle d'un ton sarcastique. Mais que fait-il dans la région ?

— Il y possède un ranch.

— Première nouvelle. Si tu m'expliquais les raisons de son retour, au lieu d'énoncer des évidences.

— Son père l'a rappelé.

— Il n'a tout de même pas l'intention de s'installer au Double M !

— Il va le diriger. Je suppose qu'ils ont oublié leur ancienne querelle. Le vieux doit avoir envie de prendre sa retraite.

— Le... le diriger ? bredouilla la jeune femme.

Ainsi donc, elle allait tout de même avoir un Murdock sur le dos ! Le père au moins l'avait laissée tranquille puisqu'en cinq ans elle ne l'avait pas rencontré une seule fois. Adam était à peine arrivé qu'il violait déjà ce qu'elle considérait comme son petit havre de paix personnel, même s'il en possédait la moitié.

— Depuis combien de temps est-il rentré ?

Avant de répondre, Jim tripota d'un air absent sa moustache grisonnante, tic que la jeune femme trouvait d'ordinaire amusant mais qui, cette fois, eut le don de l'horripiler.

— Environ deux semaines.

Et elle se heurtait déjà à lui ! Voilà qui augurait fort mal de leurs relations futures. Mais, après tout, le pays était assez vaste pour abriter un Murdock et une Baron sans que leurs chemins ne se croisent nécessairement. D'autres questions lui brûlaient les lèvres. Cependant, elle préférait attendre d'être seule avec Jim.

— Bon, je vais m'occuper de la clôture.

Elle fit pivoter sa monture et partit au galop en direction de l'ouest.

Jim la suivit un instant des yeux avec un petit sourire en coin. Il plissait souvent les paupières mais sa vue était excellente et il n'avait pas manqué de remarquer les vêtements mouillés de la jeune femme, ni la flamme qui brillait dans ses prunelles. Ainsi donc, elle était tombée sur Adam Murdock. Il étouffa un ricanement et actionna le démarreur. Voilà qui promettait d'intéressants rebondissements.

— Dis donc, fiston, regarde devant toi ! lança-t-il à un de ses hommes qui se contorsionnait pour jeter un dernier coup d'œil à la cavalière avant qu'elle ne disparût au loin.

Chapitre 2

La journée commença bien avant le lever du soleil. Il fallait soigner les chevaux, traire les vaches, changer les litières.

Jillian avait tellement l'habitude de mettre la main à la pàte qu'il ne lui serait jamais venu à l'idée de se soustraire à ces corvées, toute patronne qu'elle fût.

L'air était assez doux mais combien de fois la jeune femme avait-elle effectué le trajet qui séparait la maison principale des dépendances dans le froid glacial des petits matins d'hiver ou dans la chaleur moite du plein été ? Le ciel commençait à peine à se teinter de rose et, déjà, le ranch bourdonnait d'activité. Des cuisines, lui parvint une délicieuse odeur de café et de pain grillé.

Hommes et femmes accomplissaient leur tâche dans un silence paisible, ponctué d'occasionnels jurons et de joyeux éclats de rire. Ils avaient tous enduré les rigueurs de l'hiver. Aussi appréciaient-ils la douceur de cette aube printanière.

Jillian traversa l'allée de ciment et ouvrit le box de Dalila. Elle s'occupait toujours de sa jument en premier, puis des autres chevaux, avant de se rendre à l'étable. Quelques hommes l'avaient précédée dans l'écurie. Ils bouchonnaient les bêtes, remplissaient les mangeoires. Leurs talons résonnaient sur le sol dallé, leurs éperons tintaient.

La plupart des employés d'Utopia montaient leur propre cheval. D'autres utilisaient ceux du ranch. Mais tous possédaient leur selle, conformément au règlement draconien instauré par Clay.

L'air fleurait bon le foin, le son et le cheval. Quand toutes les bêtes furent nourries et conduites à l'enclos le soleil commençait à poindre derrière les collines.

Jillian se dirigeait vers l'étable lorsqu'on l'interpella. Elle se retourna et vit Joe Carlson, son chef de troupeau, venir à sa rencontre. Il n'avait pas la démarche du cow-boy, ni sa tenue, tout bonnement parce qu'il n'en était pas un. Son allure souple et décontractée convenait tout à fait à son physique plutôt agréable de jeune diplômé. Il préférait la Jeep au cheval et le vin à la bière. Mais il connaissait très bien le bétail. Malgré les protestations de Clay, Jillian l'avait engagé six mois plus tôt, tout frais émoulu d'une école d'agronomie. Elle comptait sur ses connaissances pour améliorer la qualité de son cheptel et elle n'avait eu jusque-là aucune raison de regretter son initiative.

— Bonjour, Joe.

— Jillian.

Il la salua d'un signe de tête et rejeta en arrière le chapeau de feutre impeccable dont il ne se séparait jamais.

— Quand donc cesserez-vous de travailler quinze heures par jour ?

Elle accueillit sa remontrance d'un éclat de rire et reprit sa route. Il lui emboîta le pas.

— En août, quand j'aurai des journées de dix-huit heures.

— Jillian !

Elle allait pénétrer dans l'étable mais il la retint par l'épaule. Ses mains étaient longues et fines, bronzées et non burinées. La jeune femme eut soudain la vision fugitive d'une autre main, plus dure, plus ferme.

— Pourquoi jugez-vous votre présence indispensable dans tous les secteurs ? Vous avez pourtant suffisamment de gens pour vous seconder. Si vous engagiez un intendant...

Ce genre de discussion revenait sans cesse sur le tapis.

— Il n'en est pas question et vous le savez très bien. Plutôt vendre Utopia que de me résoudre à laisser quelqu'un le diriger à ma place.

— Vous vous surmenez.

— Vous vous inquiétez trop pour moi. Mais je vous en sais gré, ajouta-t-elle avec un sourire. Comment va notre taureau ?

— Son caractère ne s'améliore pas mais les vaches le trouvent très à leur goût. Il est vraiment superbe.

— Je l'espère, marmonna-t-elle en songeant à ce que lui avait coûté l'animal.

Un sacrifice nécessaire, cependant, si elle voulait atteindre le but qu'elle s'était fixé.

— Attendez seulement de contempler sa progéniture, déclara Joe d'un ton encourageant en lui tapotant l'épaule. Voulez-vous que je vous conduise à son enclos ?

— Hmm, plus tard... En tout cas, j'aimerais beaucoup qu'il décroche le premier prix à la foire de juillet.

Cette distinction revenait invariablement aux

Murdock et elle comptait sur son taureau pour mettre fin à leur suprématie.

Quand Jillian eut pris son petit déjeuner, après s'être acquittée de toutes ses obligations matinales, le soleil était déjà haut dans le ciel. D'ordinaire, ses occupations ne laissaient guère le temps à son esprit de vagabonder. Et pourtant, aujourd'hui, elle ne cessait de songer à Adam Murdock. Elle en conclut qu'elle ne parviendrait pas à le chasser de ses pensées avant d'avoir obtenu les réponses aux questions qu'elle se posait. Il fallait qu'elle interroge Jim sans plus attendre. Elle le trouva alors qu'il s'installait au volant de la Jeep.

— Je t'accompagne.

Joignant le geste à la parole elle prit place à côté de lui.

Il haussa les épaules et jeta son mégot par la fenêtre.

— Comme tu veux.

— Comment se fait-il que tu ne te sois jamais marié ? s'enquit-elle avec un sourire moqueur. Tu sais si bien parler aux femmes.

— Je suis beaucoup trop malin pour me laisser passer la corde au cou.

Il actionna le démarreur et l'observa entre ses paupières plissées.

— Et toi, qu'attends-tu ? Les prétendants ne doivent pourtant pas te manquer. Tu es un peu maigrichonne mais loin d'être repoussante.

— Merci du compliment. Mais je ne veux pas d'un mari qui se mettrait en tête de me dicter ma conduite ou de prendre les décisions à ma place.

— Diriger un ranch n'est pas un travail pour une femme seule, déclara-t-il d'un ton sentencieux.

— Les hommes valent-ils mieux que les femmes ? s'enquit-elle en examinant distraitement la pointe de sa botte.

— Ils sont différents.

— Meilleurs ?

— Non, différents, c'est tout.

Devant son air buté, la jeune femme éclata de rire.

— Quel misogyne, tu fais ! Parle-moi plutôt de cette dispute chez les Murdock.

— Une de plus ! Ils ont la tête sacrément dure dans la famille.

— C'est ce que j'ai entendu dire. Je faisais allusion à celle qui a précédé le départ d'Adam pour Billings.

— Le gamin est revenu de l'université avec des tas d'idées.

Il exprima son mépris pour les études en reniflant bruyamment. Pour lui, le meilleur apprentissage s'effectuait, de toute évidence, sur le tas.

— Certaines n'étaient peut-être pas si mauvaises que ça. Mais le vieux était d'un tout autre avis. Le garçon aurait, paraît-il, accepté de travailler trois ans pour son père avant de prendre la direction du ranch.

Jim arrêta la Jeep devant une grille que Jillian alla ouvrir. Elle attendit que la voiture fût passée pour refermer la barrière et regagner son siège.

— Et alors ?

— Et alors, quand le moment convenu arriva, le vieux revint sur sa promesse. Adam prit très mal la chose. Il menaça de démissionner et de s'acheter son propre ranch.

— A sa place je n'aurais pas agi autrement,

28

marmonna Jillian. Mais pourquoi a-t-il changé d'avis ?

— Son père lui demanda de s'installer à Billings pour s'occuper de la direction financière de l'affaire. Pourquoi le garçon accepta-t-il ? Personne ne le sait mais je suppose que la promesse d'un généreux salaire contribua largement à le convaincre.

Jillian émit un ricanement méprisant. L'appât du gain ! Si Adam avait eu un minimum d'amour-propre, il aurait décliné la proposition de son père et lui aurait jeté sa démission à la figure. Mais sans doute ne pouvait-il se résoudre à repartir de zéro. Pourtant, en évoquant son visage, sa poigne vigoureuse, la jeune femme se dit que cette attitude ne lui ressemblait pas.

— Que penses-tu de lui, Jim ?

— De qui ?

— D'Adam Murdock, évidemment.

— Pas grand-chose, déclara-t-il en passant la main sur son visage pour dissimuler un sourire. Je reconnais qu'il ne manque pas de jugeote, le travail ne lui fait pas peur et il a, paraît-il, beaucoup de succès auprès des dames.

Il plaqua une paume ouverte contre son cœur et poussa un long soupir pour illustrer son propos. La jeune femme lui assena une joyeuse bourrade.

— Imbécile ! Sa vie privée ne m'intéresse pas.

Puis se ravisant aussitôt, elle ajouta :

— Mais pourquoi est-il resté célibataire ?

— Il ne veut sans doute pas d'une épouse qui se mettrait en tête de lui dicter sa conduite, déclara-t-il avec un clin d'œil taquin.

— Espèce de...

Mais, à court d'épithète, elle éclata de rire.

— Eh, regarde ! Nous avons de nouveaux pensionnaires, s'exclama-t-elle soudain.

Ils descendirent de voiture et contemplèrent, émus, le spectacle d'un veau en train de téter sa mère.

— Voici les premiers rejetons de notre nouveau taureau !

Jim acquiesça et plissa les paupières pour jeter un regard alentour.

— Joe a l'air de savoir ce qu'il fait, marmonna-t-il en se frottant le menton. Combien en comptes-tu ?

— Dix. Et une vingtaine de vaches sont prêtes à mettre bas.

Tout à coup, elle fronça les sourcils en constatant qu'il manquait une bête. Elle tendit l'oreille et perçut un bruit insolite.

— Par ici !

Ils se dirigèrent vers une petite cuvette où ils découvrirent un veau apeuré qui se blottissait contre sa mère mourante. La pauvre bête était parvenue à mettre son petit au monde mais y laissait la vie.

La jeune femme ne put se défendre contre un profond sentiment d'injustice. Les caprices de la nature étaient parfois bien cruels. Et quand Jim revint, muni de son fusil, pour abréger les souffrances de l'animal, elle prit le veau dans ses bras et s'éloigna pour ne pas assister au tragique spectacle. La détonation lui arracha un douloureux frisson mais elle se força à se ressaisir avant de rejoindre Jim.

— Il faut appeler des hommes par radio, déclara-t-il. A deux, nous n'arriverons jamais à la charger.

30

Puis il prit le museau du nouveau-né entre ses mains et lui dit :

— Il va falloir que tu te battes si tu veux t'en sortir.

— Il s'en sortira. J'y veillerai personnellement.

Quand le soir arriva la jeune femme était littéralement épuisée. Un troupeau avait saccagé un champ de luzerne. Un de ses hommes s'était cassé le bras en tombant de cheval. Plusieurs vaches avaient profité d'une brèche dans la clôture pour s'échapper et il avait fallu passer l'après-midi à les rattraper et à réparer les dégâts. Jillian avait occupé ses rares instants de liberté à prendre soin de son petit protégé. Elle l'avait installé dans un box sur une litière propre, se chargeant elle-même de lui donner le biberon. C'est d'ailleurs dans l'étable qu'elle finissait la journée à la faible lueur d'une lampe.

Assise en tailleur sur la paille sèche, elle caressait le museau du nouveau-né.

— Voilà, tu te sens mieux maintenant.

Il poussa un faible soupir et s'empara de la tétine de son plein gré. A deux reprises déjà, elle avait dû le nourrir de force mais, cette fois, il fallait qu'elle cramponne le biberon pour qu'il ne l'avale pas tout rond. Il fait des progrès, se dit-elle pleine d'espoir. La vie est parfois bien dure mais nous n'en avons qu'une.

— Joli petit bébé, murmura-t-elle.

Elle éclata de rire quand il se redressa sur son séant les pattes écartées pour mieux aspirer le lait.

— Vas-y, régale-toi. Dans quelque temps tu rejoindras tes camarades dans la prairie et tu pourras gambader à ton aise.

Quand le biberon fut vide elle le lui retira et le veau passa un grand coup de langue râpeuse sur son visage.

— Allons, ne te prends pas pour un chien! s'exclama-t-elle.

— Alors, on essaye d'en faire un animal de compagnie?

Elle leva brusquement le visage et découvrit Adam Murdock qui la contemplait.

— Qu'est-ce que vous fichez ici?

— Décidément vous posez toujours les mêmes questions.

Il pénétra dans le box et s'accroupit à côté d'elle.

— Joli petit veau.

Eau de toilette et cuir... Au premier effluve, Jillian fut sur le qui-vive. Elle ne voulait surtout pas s'imprégner de son parfum.

— Vous avez dû vous tromper de chemin. Vous vous trouvez dans mon ranch.

Combien de temps l'avait-il contemplée en silence? Il n'aurait pu le dire. D'ailleurs, il n'était pas venu pour ça. Mais il avait été fasciné par la fraîcheur de son rire, par les reflets de sa chevelure dans la pénombre, par l'indicible douceur qu'exprimait son regard quand elle cajolait l'animal.

Pourtant, les yeux de la jeune femme ne trahissaient plus maintenant la moindre émotion. Il pouvait y lire un défi qui suscita en lui une réaction très facile à identifier. On reconnaissait sans peine la manifestation du désir.

— Je ne me suis pas égaré. Je voulais vous parler, Jillian, déclara-t-il en souriant.

Il ne fallait pas qu'elle perde contenance. Il

serait bien trop content. Alors, sans reculer d'un pouce, elle releva le menton.

— A quel sujet ?

Un instant, il scruta son visage. Quel dommage d'être resté si longtemps à Billings.

— Au sujet de Dalila.

Une lueur d'intérêt brilla dans les prunelles de Jillian mais elle s'efforça de maîtriser sa voix.

— De Dalila ?

— Et de Samson. Je suis trop romantique pour négliger une telle coïncidence.

— Romantique !

Il éclata de rire devant son air sceptique.

— Vous êtes d'une nature très méfiante, Jillian.

— Surtout quand il s'agit d'affaires, Murdock, rétorqua-t-elle.

N'abats jamais ton jeu avant l'adversaire, lui répétait souvent son grand-père.

— Il se peut que je sois intéressée par votre proposition mais il faut que je voie votre étalon de plus près.

— D'accord. Passez demain, à neuf heures.

La jeune femme faillit sauter sur son offre. Elle n'avait encore jamais visité le Double M. Et puis l'étalon était superbe. Mais, une fois de plus, elle se remémora les conseils de prudence de Clay.

— Je tâcherai de me libérer. Vous savez, la matinée est toujours très chargée.

Mais elle poussa un cri joyeux parce que le veau lui donnait des coups de tête pour attirer son attention.

— Tu te comportes déjà comme un enfant gâté.

Adam tendit la main pour caresser le nouveau-

né derrière les oreilles. La douceur de son geste
surprit la jeune femme.

— Comment a-t-il perdu sa mère ?

— La naissance s'est mal passée.

Elle sourit en voyant l'animal lécher le poignet
d'Adam.

— Il semble vous avoir adopté. Son jugement
n'est pas encore très sûr.

Adam haussa un sourcil amusé.

— Au contraire, il sait reconnaître ses vrais
amis. Tout le monde ne peut pas en dire autant.

— Dois-je me sentir visée ?

— Pas du tout. Je suis sûr que vous m'appré-
ciez beaucoup, en secret.

La jeune femme rejeta la tête en arrière et
éclata de rire.

— Décidément, Murdock, vous ne manquez
pas d'aplomb.

Une jambe pliée, les mains sur son genou, elle
s'adossa à la paroi du box. Elle ne voulait pas
chercher à comprendre le plaisir que lui procurait sa compagnie.

— J'ai un prénom, vous savez, déclara-t-il
avec douceur.

La lumière de la lampe éclairait le visage de
Jillian et faisait scintiller ses yeux comme deux
diamants verts dans la pénombre. A nouveau,
une bouffée de désir envahit Adam.

— Vous n'avez jamais songé à l'utiliser ?

— Pas vraiment.

C'était un mensonge. Dans ses pensées elle
l'appelait déjà Adam. Mais pourquoi occupait-il
ainsi son esprit ?

— Bébé s'est endormi, chuchota-t-elle en souriant.

Elle s'étira délicieusement. La pesante fatigue

34

qu'elle éprouvait en arrivant dans l'étable s'était muée en une agréable lassitude.

— La journée a été longue, déclara-t-il.

— Pas encore assez. Si je pouvais disposer de dix heures supplémentaires par semaine je parviendrais peut-être à rattraper mon retard.

— Vous ne croyez pas que vous voulez trop en faire ?

— J'ai de l'ambition, c'est tout.

A nouveau, leurs regards se croisèrent.

— Je ne suis pas du genre à me contenter de ce que l'on me donne.

Les poings d'Adam se refermèrent sur la paille de la litière. Cette remarque lui était destinée. Il dut faire un effort pour ne pas céder à l'envie de rendre coup pour coup. Mais son visage resta de marbre.

— Chacun agit comme il le doit, déclara-t-il à mi-voix.

Et il laissa le foin glisser entre ses doigts.

Elle aurait voulu qu'il se défende, qu'il lui donne les raisons de son attitude, qu'il se justifie. Mais pourquoi s'intéressait-elle tant à son cas ? Elle se leva, perplexe, et épousseta son jean.

— Il faut que j'aille m'occuper de mes comptes.

Il l'imita sans hâte et elle prit soudain conscience qu'il lui barrait la sortie.

— Vous ne m'offrez pas une tasse de café ?

Elle décela une lueur étrange dans son regard mais elle était beaucoup trop préoccupée par les battements de son propre cœur pour s'en soucier.

— Non, répondit-elle calmement.

Il glissa les pouces dans les passants de sa ceinture et l'observa nonchalamment.

— Seriez-vous fâchée avec les bonnes manières ?

— Je m'en moque éperdument.

— Très bien, oublions-les.

Avant qu'elle ait pu esquisser le moindre geste, il l'empoigna par le revers de sa chemise et l'attira tout contre lui. Le contact de ce grand corps lui procura un premier choc.

— Murdock !

Un deuxième choc ébranla tout son être lorsque les lèvres d'Adam se posèrent sur les siennes.

Oh ! Non ! Mais pourquoi ne le repoussait-elle pas ? Pourquoi éprouvait-elle ce délicieux engourdissement qui annihilait sa résistance ? Pourquoi désirait-elle que ce baiser ne prenne jamais fin ?

Dans un effort surhumain, elle parvint à se débattre mais Adam resserra son étreinte, de sorte qu'elle ne pouvait plus bouger. Ses vaines tentatives pour se libérer de son emprise ne faisaient qu'augmenter son émoi, elle sentait contre ses formes douces les fermes reliefs du torse d'Adam. Cinq années durant, elle était parvenue à maîtriser ses sens. Il ne fallait pas qu'elle capitule, qu'elle perde le bénéfice de tous ces efforts. Et pourtant... et pourtant une indicible langueur, qu'elle n'avait encore jamais éprouvée, prenait naissance au creux de ses reins et envahissait tout son être.

Adam s'attendait à une réaction violente. Il agissait ainsi autant par défi que par désir. Mais les lèvres de la jeune femme étaient encore plus veloutées qu'il ne l'imaginait, son corps plus tendre, plus tiède contre ses muscles noueux. Elle continuait à se débattre, à se tordre entre ses bras et chaque mouvement de la jeune femme faisait courir sur sa peau un délicieux frisson.

Mais, soudain, elle s'immobilisa et ses bras se refermèrent autour du cou d'Adam tandis que ses lèvres répondaient enfin à son baiser, non pas avec soumission mais avec une fougue, une ardeur qui le bouleversèrent. La passion qu'elle avait si bien dissimulée jusque-là explosait, tout à coup, comme un éclair aveuglant. Adam se recula pour tenter de garder le contrôle de ses émotions.

Le souffle court, elle plongea son regard dans le sien. Ses cheveux défaits recouvraient ses épaules d'une cascade d'or roux, ses prunelles étincelaient dans la pénombre. Elle secoua la tête pour s'éclaircir les idées. Comme elle recouvrait progressivement sa lucidité, il étouffa un juron et s'empara à nouveau de sa bouche.

Cette fois, elle n'essaya pas de le repousser. Elle lui rendit son baiser avec passion, en se délectant de son parfum de cuir et d'eau de toilette, de la douceur de ses lèvres, du goût viril de sa bouche. Cette étreinte avait quelque chose de primitif, de sauvage. Mais Jillian ne se souciait pas d'un vernis de convenance qui s'écaille si facilement. Elle se laissait emporter par la fièvre de ses sens. Depuis combien de temps attendait-elle ce moment? Que quelqu'un la prenne dans ses bras, l'entraîne dans un univers d'émotions pures, loin des soucis quotidiens? Maintenant, sous la pression de ces lèvres, de ce corps brûlant, elle se sentait enfin femme à part entière.

Que lui arrivait-il? Adam essaya de battre en retraite mais ses mains restaient prisonnières de l'épaisse chevelure de Jillian. Il tenta de remettre de l'ordre dans ses idées mais l'enivrant parfum de la jeune femme l'en empêchait. De sa gorge s'échappa un gémissement sourd. Comment avait-il pu vivre un seul instant sans connaître les délicieuses sensations que lui procuraient ce corps juvénile, cette bouche sucrée ? C'est alors qu'il mesura pleinement le pouvoir que la jeune femme exerçait sur lui.

Il se recula avec précaution parce que les mains qu'il posait sur les épaules de Jillian n'étaient pas aussi fermes qu'il l'aurait souhaité.

Elle resta un moment indécise mais se reprit bientôt. Comment avait-elle pu se laisser aller de la sorte ? Cependant, un seul coup d'œil à ce regard pénétrant, à ces lèvres sensuelles suffit à la renseigner. Elle avait perdu la tête au point d'oublier qui il était. L'espace d'un instant, plus rien n'avait compté pour elle que cette merveilleuse impression de liberté, cette enivrante chaleur. Et elle savait qu'il n'hésiterait pas à profiter de sa faiblesse si elle lui en donnait l'occasion. Pourtant, comment nier la métamorphose qui s'était produite en elle quand… ?

N'y pense plus, s'ordonna-t-elle. Débarrasse-toi de lui avant de te rendre tout à fait ridicule.

Elle repoussa délicatement ses mains et redressa le menton.

— Murdock, si votre petit jeu est terminé je vous prierais de partir.

« Petit jeu ! » Comment pouvait-elle qualifier ainsi ce qui venait de se passer entre eux ? La pièce tanguait légèrement autour de lui comme lorsqu'il avait bu de l'alcool pour la première fois. Le lendemain, il avait chèrement payé cet excès. Comme il risquait de payer la folie qu'il venait de commettre. Pourtant, il ne regrettait rien. Mais il fallait qu'il batte en retraite tant qu'il en avait la force.

Nonchalamment, il ramassa son chapeau qui était tombé sous la violence de l'étreinte. Il prit tout son temps pour l'ajuster.

— Vous avez raison, Jillian. Mais, si résister à une femme comme vous relève de l'exploit, je ferai mon possible pour y parvenir.

— Je vous le conseille, lança-t-elle tandis qu'il s'éloignait.

Après que le bruit de ses pas se fut estompé, elle resta encore cinq bonnes minutes dans l'étable. Quand elle en sortit il faisait nuit noire. Au loin, un poste de radio distillait dans l'air du soir les accords nostalgiques d'une ballade de cow-boy. Elle traversa la cour pour se rendre dans la maison.

Le bâtiment de deux étages avait été construit, en pierres de la région, sur l'emplacement même de la cabane de rondins où le grand-père de Jillian avait vu le jour et qui aurait tenu tout entière dans la cuisine de la nouvelle demeure.

La jeune femme entra par la porte principale qui n'était jamais fermée.

La cheminée de la salle de séjour était assez vaste pour qu'on y rôtisse un bœuf. Les rideaux en dentelle de sa grand-mère ornaient encore les fenêtres de la pièce. Jillian aurait aimé connaître cette mystérieuse aïeule d'origine irlandaise de qui elle tenait sa chevelure rousse et son tempérament explosif.

Que ne pouvait-elle se confier à une femme ! Elle n'en avait jamais éprouvé le besoin jusque-là, préférant la solitude aux risques de bavardages futiles. Alors pourquoi la maison lui paraissait-elle tout à coup si vide ?

Le front soucieux, elle gravit l'escalier pour se rendre à la salle de bains.

Rien de tel qu'une bonne douche pour vous remettre les idées en place. Voilà bien longtemps que l'aiguillon du désir ne l'avait tourmentée. Car elle ne pouvait plus le nier : c'était bien du désir qu'elle éprouvait pour Adam.

Jillian gardait en mémoire la cruelle déception qu'elle avait subie cinq ans plus tôt. Elle avait naïvement cru aux déclarations d'amour d'un jeune étudiant en médecine, au regard limpide et aux manières douces. Mais il ne prêtait pas à ce mot la même signification qu'elle et il avait ri, probablement sans malice, quand elle lui avait parlé d'avenir. Pour lui l'amour se limitait au plaisir et tout attachement en était exclu. Sa désinvolture l'avait profondément blessée.

Il lui avait fallu de longs mois pour prendre conscience du service qu'il lui avait rendu. Car elle s'apprêtait à renoncer à sa personnalité pour se conformer à l'image d'épouse dévouée qu'incarnait sa mère, maîtresse de maison irréprochable, partenaire loyale, sacrifiant ses ambitions à la carrière de son époux. De plus, il lui avait ouvert les yeux sur l'égoïsme des hommes. Elle savait désormais qu'on ne pouvait pas se permettre la moindre faiblesse avec eux.

Seul Clay n'avait pas trahi sa confiance. Mais il était mort.

Jillian ferma les yeux et offrit son visage à l'eau bienfaisante. Adam Murdock ne recherchait pas l'âme sœur et elle non plus. Ce qui s'était produit dans l'étable devait être mis sur le compte d'un égarement passager et ne se renouvellerait jamais.

Chapitre 3

Adam se demandait si elle allait venir. Sa Jeep avançait en cahotant sur un chemin muletier. Il avait rejoint la veille au soir une de ses équipes qui bivouaquait aux confins du domaine. Il aurait volontiers prolongé son séjour parmi eux. L'ambiance typiquement masculine des camps ne lui déplaisait pas. Des journées bien remplies, quelques bières et une partie de poker le soir auraient suffi à son bonheur. Mais ses obligations le retenaient au ranch.

Adam ne rejetait pas les conceptions tradition-nelles de son père, surtout si elles pouvaient s'associer à des techniques modernes. On attra-pait toujours les bêtes au lasso mais une tron-çonneuse débroussaillait en une journée autant de terrain qu'une hache en un mois. Quant à l'avion... Il sourit en songeant à l'âpre lutte qu'il avait menée pour faire accepter à son père cette dépense jugée exorbitante. En fin de compte, il avait dû se résoudre à le payer de sa poche et à le piloter lui-même. Paul Murdock refusait de reconnaître les services que rendait l'appareil. Mais Adam ne cherchait pas à le rallier à ses méthodes. Il se contentait de les appliquer.

Les différends qui les avaient opposés, cinq ans plus tôt, s'étaient estompés avec le temps sans disparaître tout à fait. Il savait qu'il lui faudrait se battre pour chaque changement, chaque amélioration. Mais il savait également qu'il obtiendrait gain de cause. Son père avait beau être buté, il n'était pas idiot. Et puis il ne lui restait que six mois à vivre.

Adam chassa aussitôt cette horrible pensée. Il ne pouvait rien faire pour reculer l'échéance fatale que la maladie fixait au vieillard et ce sentiment d'impuissance le mettait au supplice. Il ressemblait beaucoup trop à son père pour se plier docilement aux caprices du destin.

De nouveau, l'image de Jillian s'imposa à lui. Elle personnifiait si bien la jeunesse, la vie, l'espoir.

Viendrait-elle? Il penchait pour l'affirmative. Elle tiendrait parole ne serait-ce que pour lui prouver qu'elle n'avait pas peur de lui. Elle redresserait le menton et lui jetterait un de ces regards hautains dont elle avait le secret.

Le désir qu'il éprouvait pour elle le brûlait intérieurement. Et quand il l'avait embrassée cette flamme s'était transformée en un brasier incandescent. Jamais auparavant une femme ne l'avait ainsi troublé. Le contact de ses lèvres avait fait naître en lui un flot de sensations qu'il n'avait encore jamais éprouvées. Et il savait qu'il ne se contenterait pas d'un simple baiser.

Jillian possédait bien l'impulsivité, l'entêtement, l'opiniâtreté des Baron. Ou des Murdock, ajouta-t-il pour lui-même avec un petit sourire. La mésentente entre les deux familles provenait sans nul doute de leur ressemblance.

Diriger un ranch n'était pas tâche aisée pour une femme. Mais il ne se faisait aucun souci : Jillian y parviendrait. Il se réjouissait à la perspective de leur rivalité professionnelle et de leurs démêlés amoureux dont il avait bien l'intention de sortir vainqueur.

Il rangea la voiture au bas du perron en sifflotant. Sa mère descendait l'escalier pour venir à sa rencontre.

Petite et menue, Karen Murdock était d'une beauté surprenante. Elle se déplaçait avec l'aisance d'un mannequin. De vingt-deux ans plus jeune que son mari elle conservait, malgré les rigueurs de l'hiver et le brûlant soleil estival, un teint d'une éclatante fraîcheur. La sœur d'Adam lui ressemblait beaucoup. Elles avaient toutes deux ce genre de beauté classique sur laquelle le temps ne semble pas avoir de prise.

Karen portait un pantalon de lin blanc et un chemisier de coton rose. Ses cheveux défaits tombaient en cascade sur ses épaules. On l'imaginait aussi bien à cheval dans les collines que dans une réception mondaine.

— Tout va bien ? lança-t-elle à son fils en lui tendant la joue.

— Oui. Nos hommes ont rattrapé les bêtes qui s'étaient échappées par une brèche dans la clôture sud.

Puis il emprisonna ses mains et scruta son visage.

— Tu as l'air fatigué.

Elle pressa ses doigts autant pour le rassurer que pour y puiser quelque réconfort.

— Ton père a très mal dormi. Pourquoi n'es-tu pas venu le voir hier soir ?

— Je me demande bien ce que ma présence aurait pu lui apporter.

— Tu sais parfaitement que vos disputes constituent maintenant ses seules distractions.

Elle obtint d'Adam ce sourire qu'elle attendait.

— J'irai le voir plus tard pour lui parler de ces dix hectares de broussailles que je veux défricher contre son gré.

Karen éclata de rire et posa les mains sur les épaules de son fils. Comme elle se tenait sur une marche leurs yeux étaient presque au même niveau.

— Ta présence lui fait du bien. Non, ne prends pas cet air étonné, lui intima-t-elle gentiment.

— La dernière fois que nous nous sommes vus il m'a envoyé au diable.

— Et c'est très bien, justement ! Moi, je ne peux pas m'empêcher de céder à ses caprices alors qu'il a besoin qu'on lui tienne tête pour le forcer à se battre. Au fond, il sait que tu as raison, que tu as toujours eu raison. Il est très fier de toi, tu sais.

— Pas la peine que tu m'expliques son caractère, je le connais, va, répliqua-t-il avec une légère amertume.

— Tu crois le connaître, rectifia-t-elle en appuyant sa joue contre la sienne.

Quand Jillian arriva au ranch elle surprit Adam au bras d'une jolie blonde. A ce spectacle, son cœur se serra. Mais, après tout, l'attitude d'Adam n'avait rien d'étonnant. Les hommes méprisaient les sentiments. Pourquoi ferait-il exception à la règle ? Elle rangea sa voiture à côté de la Jeep et en descendit.

Adam se tourna vers elle et, bien qu'elle eût le soleil dans les yeux, elle parvint à répondre à son sourire par un regard glacial.

— Murdock, lança-t-elle sèchement.

— Bonjour, Jillian.

Comme il ne semblait pas décidé à abandonner sa charmante compagne elle s'avança vers lui.

— Je suis venue voir votre étalon.

— Décidément vos manières ne s'améliorent pas.

Son sourire découvrit un peu plus ses dents éclatantes.

— Je ne pense pas que vous vous soyez déjà rencontrées.

— En effet.

Karen descendit les marches du perron, amusée par la lueur malicieuse qui brillait dans le regard de son fils et par les éclairs que lançait celui de la jeune femme.

— Vous devez être Jillian Baron. Je suis Karen Murdock, la mère d'Adam.

Jillian resta un instant bouche bée.

— Sa... sa mère, bredouilla-t-elle en contemplant la gracieuse silhouette de son interlocutrice.

— Votre étonnement me flatte beaucoup, mademoiselle, déclara-t-elle en riant. Je vous laisse à vos affaires. Mais quand vous aurez terminé venez donc prendre le café avec moi, si vous avez le temps. Je n'ai pas souvent l'occasion de discuter avec une autre femme.

— Oui, heu... merci.

Quand elle eut franchi la porte d'entrée, Jillian n'était pas encore revenue de sa surprise.

— Rares doivent être les situations qui vous laissent sans voix, dit Adam d'un ton moqueur.

— C'est vrai. Votre mère est ravissante.

— Vous ne vous y attendiez pas ?

— Si. Enfin, j'avais entendu dire qu'elle était très jolie mais...

La jeune femme poussa un soupir excédé. Quand donc cesserait-il de l'observer avec ce sourire narquois ?

— Vous ne lui ressemblez pas du tout.

Adam la prit par l'épaule pour l'inviter à se diriger vers la maison.

— Vous essayez encore de me séduire, Jillian. Mais je ne céderai pas à vos viles flatteries.

Elle dut se mordre les lèvres pour ne pas pouffer.

— J'ai beaucoup mieux à faire.

Elle se dégagea de son bras bien que ce contact lui procurât une délicieuse sensation de chaleur.

— Vous sentez le jasmin. Ce parfum m'est-il destiné ?

En guise de réponse, elle le foudroya du regard. Mais loin de se laisser décourager, Adam repoussa d'une pichenette le chapeau de Jillian, l'enlaça et s'empara de ses lèvres.

La jeune femme sentit ses jambes se dérober sous elle. Ce baiser l'avait prise au dépourvu mais dès qu'il la relâcha elle recouvra ses esprits.

— De quel droit... ?

— Excusez-moi.

Ses prunelles pétillaient de malice mais il leva les mains, paumes en avant, en un geste d'apaisement.

— J'ai perdu la tête comme chaque fois que je vois briller dans vos yeux cet éclat meurtrier.

— Prenez garde que je ne passe aux actes ! lança-t-elle sèchement avant de tourner les talons et de partir en direction de l'enclos.

Il lui emboîta le pas.

— Comment se porte votre petit protégé ?

— Comme un charme. Le vétérinaire viendra

l'examiner cet après-midi mais il ne s'agit que d'une visite de routine.

— Doit-on en attribuer la paternité à votre nouveau taureau ?

Devant son air médusé, il éclata de rire.

— Comme vous le voyez les nouvelles vont vite par ici. De plus il se trouve que j'avais moi-même l'intention d'acheter cette bête. Vous me l'avez soufflée sous le nez.

— Vraiment !

Elle ne put dissimuler le plaisir que lui procurait cette révélation.

— J'étais sûr que vous vous en réjouiriez.

— Ce n'est pas très charitable de ma part, reconnut-elle tandis qu'ils atteignaient l'enclos.

Elle s'accouda à la barrière et lui décocha un sourire perfide.

— En vérité, la charité n'est pas mon fort !

— Alors je crois que nous sommes faits pour nous entendre, déclara-t-il en lui rendant son sourire.

La jeune femme rabattit son chapeau sur les yeux.

— Je suis venue voir votre étalon, Murdock.

Il l'observa un instant sans mot dire et cet examen la mit au supplice. Mais elle n'en laissa rien paraître.

— Oui, c'est vrai.

Alors avec une souplesse de félin, il sauta dans l'enclos.

Jillian se reprochait son agressivité. Manifester une certaine méfiance, garder ses distances, soit. Mais cela ne l'autorisait pas à se montrer aussi ouvertement hostile. Cette attitude ne lui ressemblait pas du tout. Elle fronça les sourcils et appuya son menton au creux de sa main. Oui, depuis sa rencontre avec Adam, elle avait oublié ses bonnes manières. Mais elle se dérida devant le tableau qu'offraient l'homme et l'animal.

La même puissance, la même beauté sauvage émanaient de chacun d'eux. Pour l'instant, l'étalon ne semblait pas disposé à accepter le licou. Chaque fois qu'Adam tentait de l'approcher, il faisait un écart et se réfugiait à l'autre extrémité de l'enclos.

— Espèce de démon! l'entendit-elle grommeler.

De nouveau Adam se dirigea vers le cheval qui trottina aussitôt dans la direction opposée.

Amusée par le spectacle, la jeune femme s'assit à califourchon sur la barre supérieure et lança d'un ton gouailleur :

— Allez, cow-boy, sers-toi de ton lasso !

Adam lui sourit et haussa les épaules comme s'il abandonnait la partie avant de tourner le dos à l'étalon, d'un air boudeur. Aussitôt, l'animal le rejoignit et le poussa du museau.

— Tu veux te faire pardonner, hein ? murmura-t-il en lui caressant l'encolure. Pour m'avoir humilié devant la dame.

Mais loin de le trouver ridicule, Jillian admira l'aisance avec laquelle il enfourchait l'étalon. S'il avait voulu l'impressionner, il aurait pu en rajouter. Sa simplicité força l'estime de la jeune femme.

Elle flatta de la main le flanc de la bête qu'Adam avait guidée vers elle. Sa robe brillait comme de la soie et ses grands yeux bruns pétillaient d'intelligence.

— Adam...

En entendant prononcer son prénom celui-ci haussa un sourcil étonné.

48

— Je suis désolée.

Ses prunelles sombres s'éclairèrent d'une lueur nouvelle.

— Ce n'est rien, dit-il et il tendit une main qu'elle serra aussitôt.

— Cet animal est magnifique! Depuis combien de temps est-il à vous?

— Depuis toujours. Il est né au ranch, fruit de l'union d'un cheval sauvage et d'une superbe pouliche. La horde dont son père était le chef comptait bien une cinquantaine de mustangs. Ah! Quelle allure quand il galopait en tête du troupeau! Il m'a fallu cinq jours pour le capturer et j'ai bien failli y laisser ma vie.

— Et ensuite, qu'est-il devenu?

— Je lui ai rendu sa liberté.

Combien il eût été facile pour lui de garder l'animal, de le dompter, de briser sa volonté pour en faire un étalon. Mais la jeune femme comprit, en croisant son regard, qu'il était bien trop épris de liberté lui-même pour ne pas la respecter. Sa paume glissa, comme malgré elle, sur la robe de Samson pour venir se poser sur la main d'Adam.

— Je vous en remercie.

— Décidément, votre personnalité comporte de nombreuses facettes. Certaines, plutôt rebutantes, mais d'autres, tout à fait séduisantes!

— Les secondes étant de loin les plus rares...

— Ce qui les rend d'autant plus précieuses. Vous étiez adorable la nuit dernière assise sur la paille avec le petit veau dans les bras et la lumière qui jouait avec les reflets de vos cheveux.

Jillian se méfiait des beaux discours. Pourtant,

elle ne parvenait pas à apaiser les battements de son cœur.

— Je ne suis pas adorable, dit-elle d'un air renfrogné. Je refuse de l'être.

— On ne fait pas toujours ce que l'on veut.

— Ne recommencez pas, Murdock! lança-t-elle d'un ton de commandement.

L'animal effrayé fit un écart mais Adam ne relâcha pas sa main pour autant.

— Recommencer quoi ?

— Vous savez, je me demande souvent pourquoi je suis si désagréable avec vous. Eh bien, c'est tout simplement parce que vous ne comprenez pas d'autre langage. Lâchez-moi !

Le regard d'Adam se durcit.

— Non.

Il accentua la pression de ses doigts.

— Et moi je me demande souvent pourquoi l'envie me taraude de vous flanquer une bonne fessée. Ce doit être pour les mêmes raisons.

— Je me fiche éperdument de vos états d'âme.

Les lèvres d'Adam découvrirent des dents superbes.

— Je ne vous crois pas. Pas après ce qui s'est passé hier soir. Je reconnais vous avoir embrassée contre votre gré. Pourtant, vous m'avez rendu ce baiser. J'ai eu toute la journée pour y réfléchir et en tirer des conclusions.

Tout aussi ulcérée par la justesse de ses paroles que par son sourire insolent, la jeune femme retira sa main et lui assena un coup de poing au creux de l'estomac.

— Eh bien, les miennes se résument ainsi !

Elle s'enfuit sans prendre le temps de constater l'étonnement douloureux qui se peignait sur son visage. Mais elle n'alla pas loin. Il se jeta sur elle. Plaquée sur le sol, elle se débattit avec l'énergie du désespoir mais comprit bien vite que toute résistance était inutile.

— Vous avez une langue de vipère, dit-il. Si c'est une correction que vous cherchez vous allez l'avoir.

— Il en faudrait plus d'un comme vous pour me l'administrer, Murdock.

Elle faillit parvenir à libérer ses jambes pour le repousser mais il contra son attaque en pesant sur elle de tout son poids.

— C'est ce que nous verrons.

Elle allait répliquer quand la bouche d'Adam la réduisit au silence. Il sentit le pouls de la jeune femme s'accélérer sous sa paume puis la brûlante réponse de ses lèvres effaça toute autre sensation.

L'univers entier se désagrégea pour faire place à un océan de douceur aux profondeurs insondables. Il aurait pu se laisser bercer une vie entière par son goût suave, par la moiteur enivrante qu'il pénétrait ardemment et il craignit soudain de ne plus jamais faire surface.

Alors, il se redressa sur ses coudes et la contempla longuement. Ce baiser lui avait coupé le souffle plus sûrement que le coup de poing le plus violent.

— Je devrais vous battre, murmura-t-il.

Malgré l'inconfort de sa position, elle parvint à redresser le menton.

— J'aurais préféré ce sort.

Elle n'en était pas à son premier mensonge mais celui-là était de loin le plus gros. Non seulement elle avait apprécié ce baiser mais elle mourait d'envie qu'il recommence.

— Vous pesez sacrément lourd, vous savez.

— Cette position facilite la discussion.

— Mais je n'ai pas envie de parler avec vous.

— Alors nous nous passerons de mots.

Mais, avant qu'il ait pu mettre à exécution la menace qu'exprimait son regard, un museau vint s'interposer entre leurs visages.

— Laisse-nous tranquilles, Samson. Va t'occuper de tes pouliches, grommela Adam en le repoussant de la main.

— Ses manières sont beaucoup plus raffinées que les vôtres.

Elle n'eut pas le temps de poursuivre car le mufle humide de l'étalon contre sa joue lui arracha un éclat de rire.

— Pour l'amour du ciel, Adam, laissez-moi me lever. Cette situation est ridicule.

Au lieu de lui obéir, il plongea son regard dans les prunelles de la jeune femme qui pétillaient maintenant de gaîté. Ses cheveux répandus sur le sol évoquaient des flammes courant dans la poussière...

— Je commence à y prendre goût. Recommencez.

— Quoi ?

— Souriez-moi.

À nouveau, elle éclata de rire.

— Et pourquoi le devrais-je ?

— Parce que j'adore ça.

Elle tenta de pousser un soupir excédé mais ne put s'empêcher de pouffer.

— Si je vous dis que je suis désolée de vous avoir frappé, me libérerez-vous ?

— Pas avant que vous ne m'ayez expliqué ce que vous reprochez à mes manières.

— Le moins qu'on puisse en dire c'est qu'elles manquent de douceur. Maintenant, si vous vou-

52

lez bien m'excuser, il faut absolument que je rentre. Certains doivent travailler pour vivre, vous savez.

— Elles manquent de douceur, murmura-t-il sans relever la suite. Est-ce mieux ainsi ?

Du bout des lèvres, il effleura sa joue puis sa bouche.

— Non, je vous en prie !

Il comprit au tremblement de sa voix, à l'éclat affolé de son regard qu'il avait fait mouche.

— Voilà donc votre talon d'Achille, chuchota-t-il, ému. Je viens de marquer un point décisif, Jillian.

D'un doigt léger, il traça le contour de ses lèvres frémissantes.

— Et j'ai bien l'intention de profiter de cet avantage.

— Pour l'instant votre poids constitue votre seul avantage.

Il sourit mais, alors qu'il allait poursuivre, une ombre s'étendit sur eux.

— Quelle idée de se rouler ainsi dans la poussière !

Jillian leva le visage et découvrit un vieillard aux traits fermes, au regard perçant. Malgré sa pâleur et son air fragile, elle décela immédiatement sa ressemblance avec Adam. Elle le contempla un instant sans mot dire. Cet homme âgé, courbé en deux sur sa canne, pouvait-il être le très respecté et non moins redouté Paul Murdock ?

Adam adressa un large sourire à son père.

— Je donnais une leçon à cette jeune personne.

Paul Murdock émit un petit rire et s'appuya à la clôture.

— Est-ce ainsi que je t'ai appris à te comporter avec les dames ? Si tu l'aidais à se relever tu pourrais me la présenter.

Adam s'exécuta de bonne grâce. Il attrapa la jeune femme sous les bras et la hissa sans cérémonie. Elle lui décocha un regard venimeux avant de se tourner vers le vieillard. Pourquoi fallait-il que sa première rencontre avec le fameux Paul Murdock se déroule dans de telles circonstances ? Elle se sentait en faute, comme une adolescente surprise dans la paille avec son amoureux. Mais elle rejeta sa chevelure en arrière et affronta bravement le regard du patriarche.

Le visage de ce dernier restait impassible.

— Ainsi vous êtes la petite-fille de Clay Baron.

— Elle-même.

— Vous ressemblez beaucoup à votre grand-mère.

Elle redressa le buste et répondit :

— On me l'a souvent dit.

— Elle avait un tempérament explosif.

Un sourire fugitif éclaira son visage.

— Si un jeune paltoquet s'était avisé de lui manquer de respect, elle lui aurait fait voir trente-six chandelles.

Adam se frotta l'estomac en grimaçant.

— Sur ce chapitre Jillian n'a rien à lui envier. Elle possède une sacrée droite.

La jeune femme ramassa son chapeau et l'épousseta consciencieusement.

— Je vous conseille de muscler vos abdominaux, Murdock, lança-t-elle en ajustant son couvre-chef. Je peux cogner beaucoup plus fort.

— J'aurais dû le corriger plus souvent,

déclara Paul Murdock en riant. Quel est votre nom, jeune fille ?

Après un instant d'hésitation elle répondit :

— Jillian.

— Eh bien ! Jillian, vous êtes très jolie. Et vous ne manquez pas de bon sens, semble-t-il. Ma femme serait ravie que vous lui teniez un peu compagnie.

Jillian le fixa un moment sans mot dire. Ainsi donc le farouche Murdock, l'ennemi juré de son grand-père, l'invitait chez lui.

— Merci.

— Venez donc prendre le café. Quant à toi, ajouta-t-il en se tournant vers son fils, j'ai deux mots à te dire.

La jeune femme sentit une tension soudaine perturber l'atmosphère. Mais le vieillard se dirigeait déjà vers la maison.

— Alors, qu'attendez-vous ?

Ils le rejoignirent en bas des marches du perron. Paul Murdock les gravit péniblement une à une. En le voyant ainsi peiner, Jillian tendit la main afin de l'aider. Adam intercepta alors son poignet et attendit que son père ait atteint la porte d'entrée pour la libérer.

— Karen, lança-t-il haletant, tu as de la visite.

Puis il s'effaça devant la jeune femme.

La demeure des Murdock était encore plus grande que la maison principale d'Utopia mais elle possédait également ce charme rustique qui avait séduit Jillian, lors de son premier séjour au ranch. Pourtant, ce décor comportait un élément qui faisait défaut à Utopia : une touche féminine.

De grands bouquets de fleurs des champs trônaient dans des vases en porcelaine. Des tentures aux tons pastel encadraient les fenêtres. Des coussins multicolores ornaient fauteuils et canapés.

Bien que Clay ait conservé les rideaux de dentelle de sa femme, Utopia s'était mué au fil des années en une garçonnière. Et il avait fallu que la jeune femme pénètre dans cette maison où l'empreinte de Karen était omniprésente pour en prendre conscience.

Une immense tapisserie indienne recouvrait tout un mur du salon et des urnes de bronze, garnies de fleurs séchées, flanquaient la cheminée. Cet intérieur accueillant reflétait le goût à la fois simple et raffiné de sa propriétaire.

— Vous n'offrez pas de siège à Jillian ? s'enquit Karen.

Elle venait de pénétrer dans la pièce en poussant un chariot chargé d'un service à café.

— Je laisse ce soin à son chevalier servant, déclara Paul Murdock en s'enfonçant dans un fauteuil, sur le bras duquel il accrocha sa canne.

Jillian allait protester mais, déjà, Adam l'obligeait à le rejoindre sur le canapé. Elle serra les dents et se tourna vers son hôtesse.

— Votre maison est ravissante, madame Murdock.

Karen ne cacha pas son amusement.

— Merci. Il me semble vous avoir vue au rodéo l'année dernière, poursuivit-elle en lui tendant une tasse fumante. Comptez-vous y participer, à nouveau, cette année ?

— Oui. Bien que cela ne soit pas du goût de tout le monde. Certains hommes répugnent à se mesurer à une femme.

— Si cette remarque m'est adressée vous vous

56

trompez, rétorqua Adam. Et pour vous le prouver, je vous promets de m'y inscrire.

— Vous devez manquer d'entraînement après
cinq années passées derrière un bureau.

Dès qu'elle eut prononcé ces paroles la jeune
femme sentit une soudaine tension s'installer de
nouveau entre le père et le fils.

— Je suppose qu'on a ce genre de chose dans
le sang, déclara Karen d'une voix douce. Vous
vous êtes parfaitement adaptée à la vie du ranch
mais vous avez passé votre enfance dans l'Est, je
crois ?

— A Chicago, reconnut-elle. Pourtant je ne
m'y suis jamais sentie chez moi. Le virus de
l'élevage a dû sauter une génération.

— Vous avez un frère, n'est-ce pas ?

— Comme mon père, il exerce la médecine à
Chicago.

— Je me souviens de lui, confia Murdock en
hochant la tête. Gentil garçon, très sérieux,
jamais un mot plus haut que l'autre.

Jillian ne put s'empêcher de sourire devant
une description aussi exacte.

— Quelle mémoire !

— Rien d'étonnant à ce que Baron ait préféré
vous léguer le ranch. Avec Jim Haley à sa tête,
vous ne devriez pas avoir de problème.

Les joues de la jeune femme s'empourprèrent.

— Jim est le meilleur contremaître qu'on
puisse trouver mais il ne dirige pas Utopia.

Murdock fronça les sourcils.

— Diriger un ranch n'est pas un travail de
femme.

— C'est pourtant le mien.

— Les cow-boys en jupon n'apportent que des
problèmes.

— Je n'en mets pas quand je monte à cheval.

Il reposa sa tasse et se pencha vers elle.

— Je ne portais pas votre grand-père dans mon cœur mais je serais quand même navré de voir son œuvre réduite à néant par une péronnelle.

— Paul ! s'exclama Karen.

Mais la jeune femme ne la laissa pas poursuivre.

— Clay n'avait pas l'esprit aussi étroit que vous. S'il jugeait quelqu'un capable d'accomplir une tâche, il la lui confiait sans tenir compte de son sexe. Je dirige Utopia et j'ai bien l'intention d'en faire le premier ranch de la région. Mon travail m'attend, ajouta-t-elle en se levant. Merci pour le café, madame Murdock.

Elle se tourna vers Adam qui n'avait pas bougé du sofa.

— Nous n'avons toujours pas réglé notre affaire.

— De quoi s'agit-il ? s'enquit Paul Murdock.

Il ponctua sa question en frappant impatiemment le sol de sa canne.

— De l'accouplement de Samson avec une jument de Jillian, répondit Adam d'un air détaché.

Le visage du vieillard s'empourpra.

— Un Murdock ne traite pas avec une Baron !

Adam déplia nonchalamment sa grande carcasse.

— Je traite avec qui bon me semble.

La jeune femme quitta la pièce sans attendre la suite de leur discussion. Elle atteignait sa voiture quand Adam la rejoignit.

— Fixez-moi un prix, ordonna-t-elle entre ses dents.

Il s'accouda à la voiture. S'il était en colère, il n'en laissait rien paraître.

— En principe, moi seul parviens à faire sortir mon père de ses gonds.

— Votre père est d'un sectarisme !

Les pouces dans les passants de sa ceinture, il contemplait distraitement la pointe de ses chaussures.

— Papa connaît mieux les vaches que les femmes.

Jillian poussa un long soupir afin de réprimer une forte envie de rire.

— Vous ne m'avez toujours pas donné votre prix.

— Venez dîner ce soir, nous en discuterons.

— Je n'ai pas de temps à perdre en mondanités.

— Qui parle de cela ? Je vous convie à un repas d'affaires.

Elle examina la maison en fronçant les sourcils. La perspective d'une soirée entière chez les Murdock ne l'enchantait guère. Elle craignait de finir par perdre son sang-froid.

— Ecoutez, Adam, j'aimerais accoupler ma jument à Samson, si vos conditions me conviennent. Toutefois, mes relations avec vous ou votre famille s'arrêtent là.

— Pourquoi ?

— Les Baron et les Murdock sont à couteaux tirés depuis près d'un siècle.

— Et vous accusiez mon père de sectarisme ! fit-il remarquer avec un sourire moqueur.

La jeune femme poussa un long soupir et tenta de mettre de l'ordre dans ses idées. Murdock était un homme âgé, il paraissait très malade. De plus, il ressemblait beaucoup à son grand-père, aussi têtu, aussi emporté mais probablement aussi sensible et foncièrement bon que lui. Serait-elle assez égoïste pour ne pas essayer de le comprendre ?

— D'accord, j'accepte votre invitation. Mais je décline toute responsabilité au cas où la soirée tournerait mal.

— Je m'arrangerai pour écarter tout risque de dispute. Je passerai vous prendre vers sept heures.

— Inutile, je connais le chemin, rétorqua-t-elle avant de s'installer au volant.

La main d'Adam se referma sur son bras.

— Je passerai vous prendre, répéta-t-il d'un ton sans réplique.

— Faites comme bon vous semble.

Elle n'eut pas le temps d'esquiver son baiser.

— J'en ai bien l'intention.

Puis, d'un pas léger, il repartit vers la maison.

Chapitre 4

Le trajet du Double M à Utopia ne suffit pas à calmer l'humeur de Jillian. Les réflexions de Murdock et l'attitude d'Adam l'avaient mise dans une rage folle. Elle voulait se persuader que seule la perspective d'un contrat de reproduction l'avait poussée à accepter l'invitation à dîner.

Dans un nuage de poussière, la voiture s'engagea sur le chemin de terre qui menait au ranch. A cette heure de la journée les abords de la maison étaient déserts. La plupart des employés vaquaient aux quatre coins du domaine. Mais même la présence de ses hommes ne l'aurait pas empêchée de claquer violemment la portière de son véhicule. Elle n'était pas du genre à réprimer ses pulsions pour sauver les apparences.

Un monceau de factures l'attendait dans son bureau mais elle décida de remettre cette tâche à plus tard. Il fallait qu'elle se dépense pour déverser son trop-plein d'énergie avant de s'attaquer aux comptes et aux bilans.

Elle pivota sur ses talons et se dirigea alors vers l'étable où les boxes attendaient d'être nettoyés.

— Vous en avez après quelqu'un en particulier ?

Ses yeux lançaient encore des éclairs quand

elle se tourna vers Joe Carlson qui s'avançait dans sa direction.

— Après les Murdock, oui !

— Je m'en doutais. Vous n'êtes pas tombés d'accord sur le prix.

— Nous n'en avons même pas discuté. Je dois y retourner ce soir, ajouta-t-elle en serrant les mâchoires.

— Oh ! se contenta-t-il de répondre.

Ce qui lui valut un regard noir.

— Si Murdock ne possédait pas un aussi bel étalon je les aurais envoyés au diable, lui et son père.

Cette fois Joe ne put réprimer un large sourire.

— Je vois que vous avez fait la connaissance de Paul Murdock.

— Il m'a confié son opinion sur les cow-boys en jupon.

— Vraiment !

La jeune femme ne put résister au ton ironique de son employé et elle lui rendit son sourire.

— Oui, vraiment !

Puis elle soupira en songeant aux difficultés que le vieillard avait éprouvées pour gravir les quatre marches du perron.

— Et puis zut ! marmonna-t-elle, aussi prompte à se calmer qu'à prendre la mouche. Je n'aurais pas dû m'emporter. Après tout Paul Murdock est âgé et...

Elle ne termina pas sa phrase. Pour quelque obscure raison elle répugnait à répandre le bruit de sa maladie. Elle se contenta de hausser les épaules et conclut en disant :

— Au moins, Clay ne faisait pas de différence entre les garçons et les filles pourvu qu'on sache monter à cheval et qu'on soit capable d'attraper une vache au lasso.

Joe comprit que la jeune femme lui cachait quelque chose. Mais il la connaissait trop bien pour tenter de la faire parler.

— Si vous en avez le temps, peut-être aimeriez-vous jeter un nouveau coup d'œil au taureau ?

— Pardon ?

Absorbée par ses pensées elle ne l'avait pas écouté.

— Le taureau.

— Ah ! Oui.

Elle enfonça les poings dans ses poches et lui emboîta le pas.

— Comment se porte notre petit orphelin ?

La question de Joe lui rendit le sourire.

— Très bien. Le cap le plus difficile est franchi. Il s'en sortira.

Elle savait qu'un éleveur doit se garder de tout attachement mais il était déjà trop tard.

— On jurerait qu'il a grandi depuis hier.

— Et voici l'heureux papa, déclara Joe tandis qu'ils atteignaient l'enclos de l'animal.

Le taureau les accueillit en soufflant par les naseaux d'un air menaçant. Tout en lui évoquait la puissance : son encolure massive, son poitrail impressionnant, ses cornes recourbées qui surplombaient son front têtu. Jillian prit soudain conscience que le petit veau qu'elle nourrissait au biberon aurait, dans un an à peine, l'allure farouche de son père. De nouveau le taureau souffla et gratta la terre du sabot comme s'il les mettait au défi de pénétrer dans l'enclos.

— Quel charmant caractère ! s'exclama Joe.

— Je ne lui demande pas d'être aimable mais de me donner des rejetons.

— Rien à lui reprocher de ce côté. Une trentaine de veaux sont nés aujourd'hui et toutes les vaches auront mis bas d'ici la fin de la semaine. Je crois que vous n'avez pas gaspillé votre argent en l'achetant.

Elle s'accouda en souriant à la balustrade.

— J'ai appris aujourd'hui même qu'Adam Murdock avait des vues sur notre séducteur... Je ne peux pas m'empêcher de me réjouir de lui avoir coupé l'herbe sous le pied. Jusqu'à maintenant, je ne m'étais jamais intéressée aux médailles mais, cette fois, j'ai l'intention de participer à la foire de juillet et de remporter le titre.

— Revanche personnelle ?

— En partie. Ce qui m'intéresse avant tout c'est de tirer un bon prix de mon bétail si je veux équilibrer mon budget et ce genre de distinction m'y aidera beaucoup. Mais chaque chose en son temps. Pour l'instant je dois m'occuper des corvées administratives.

Vers cinq heures Jillian avait mis les comptes à jour. Les dépenses avaient sensiblement augmenté durant l'année précédente et elle misait sur la vente aux enchères de Miles City pour rentrer dans ses frais. Bien sûr, elle aurait pu éviter ces charges supplémentaires mais elle espérait que les risques s'avéreraient payants. L'avion serait opérationnel avant la fin de la semaine et l'achat du taureau portait déjà ses fruits.

Elle se renversa contre le dossier du vieux fauteuil en cuir de son grand-père et se mit à contempler le plafond. Si elle en trouvait le temps, elle apprendrait à piloter. Elle estimait de son devoir directorial de maîtriser l'activité du ranch sous tous ses aspects. En cas de besoin, elle était tout à fait capable de ferrer un cheval, de conduire une moissonneuse-batteuse ou un bulldozer.

Les travaux d'écritures étaient de loin ceux auxquels elle répugnait le plus. Quatre heures passées derrière son bureau l'épuisaient davantage qu'une chevauchée de huit heures. Aussi espérait-elle engager bientôt un comptable.

Mais, pour l'instant, elle ne pouvait se permettre ce luxe. Si elle parvenait à dégager un salaire supplémentaire elle augmenterait l'effectif de ses cow-boys. L'année prochaine... Elle se reprit et posa les pieds sur le rebord du bureau.

Il ne fallait pas qu'elle mise trop sur l'année prochaine. Tant de choses pouvaient se produire d'ici là. On n'était jamais à l'abri de la sécheresse, des inondations ou autres catastrophes naturelles. Si le prix du fourrage continuait à augmenter, elle serait bien forcée de vendre une partie de son cheptel. Elle devait également faire face aux réparations de la Jeep, à la note du vétérinaire, aux frais de nourriture de ses employés. Dès que l'avion fonctionnerait, la facture d'essence doublerait. Oui, il lui faudrait trouver de l'argent frais à Miles City et un premier prix ne nuirait pas à la chose.

En attendant, elle garderait un œil sur les portées de printemps. Et l'autre, sur Adam Murdock. Un demi-sourire éclaira son visage. Quel prétentieux! Mais elle lui portait néanmoins une certaine estime. Que ne pouvaient-ils confronter leurs conceptions de l'élevage!

Depuis la mort de son grand-père, Jillian ne

65

rouvait plus personne à qui se confier et elle souffrait de cet isolement. Ses rapports avec les employés étaient excellents mais peut-on parler de ses affaires à un homme qui travaillera peut-être l'année suivante pour votre concurrent ?

Quant à Jim... Elle éprouvait pour lui une grande affection qu'elle savait réciproque. Mais il avait beaucoup trop d'idées préconçues pour approuver les ambitions de la jeune femme.

Lorsqu'elle vivait à Chicago, Jillian ne rêvait que de solitude ; maintenant, elle aurait tout donné pour une petite heure de conversation.

Elle se leva en hochant la tête. Que lui arrivait-il ? Si elle avait envie de parler il lui suffisait de se rendre à l'écurie ou à l'étable pour trouver au moins une dizaine d'interlocuteurs. Quelles que soient les raisons de cette soudaine mélancolie elle était fermement décidée à s'en guérir au plus vite.

Elle monta dans sa chambre. Du dehors, lui parvinrent les trois notes caractéristiques du triangle qui allaient retentir à un rythme de plus en plus précipité jusqu'à former une sonnerie continue. Ses employés s'apprêtaient à dîner. Il était temps pour elle de se préparer pour se rendre au Double M.

Mais, après tout, pourquoi se changerait-elle ? Elle en voulait encore suffisamment à Adam et à son père pour leur faire l'affront de se présenter en tenue de travail. Cependant, par égard pour Karen Murdock elle se résigna à passer sa garde-robe en revue.

La coquetterie ne constituait pas son souci principal. Aussi les tenues habillées étaient-elles reléguées dans un coin de sa penderie. Elle ne les portait que pour se rendre aux réceptions que donnaient occasionnellement les autres éleveurs ou lors de rendez-vous d'affaires. Sinon, elle jugeait le jean et la chemise de coton beaucoup plus appropriés à ses fonctions.

Jillian enfila une jupe de lin blanc sur un chemisier de soie grège et chaussa des escarpins vernis. Une légère touche de maquillage accompagna sa tenue. Elle hésita à se parer de bijoux mais opta finalement pour une paire d'anneaux en or. Loin de sa mère qui lui aurait certainement recommandé une coiffure élaborée, elle préféra laisser flotter ses cheveux librement sur ses épaules. Quand elle entendit un bruit de moteur, elle se garda bien de se précipiter à la fenêtre et prit tout son temps pour descendre.

Adam ne portait pas de chapeau. Pourtant, il conservait cette allure à la fois rude et noble qui caractérise l'homme des grands espaces. Sa personnalité se passait d'uniforme.

En l'examinant, elle se demanda comment il avait pu supporter sa vie de bureau à Billings. Son pantalon et son chandail noir accentuaient son air ténébreux qui s'illumina d'un sourire dès qu'il la vit apparaître sur le perron.

— Vous êtes exact, lança-t-elle en claquant la porte derrière elle.

— Vous aussi.

Il laissa son regard errer sur la silhouette de la jeune femme. Il appréciait la simplicité de sa robe qui mettait en valeur la finesse de sa taille et la courbe gracieuse de ses hanches. La soie du chemisier soulignait la délicatesse de son teint et l'éclat de sa luxuriante chevelure fauve.

— Et adorable, que vous le vouliez ou non, ajouta-t-il en s'emparant de sa main.

Elle comprit aux battements effrénés de son cœur qu'il lui faudrait jouer serré.

— Ne recommencez pas, sinon je vais encore me fâcher.

Elle essaya de se dégager mais il la tenait fermement.

— Que serait la vie sans le piment du risque ?

Puis, sans la quitter des yeux, il porta la main de la jeune femme à ses lèvres.

Elle fut tellement déconcertée par son geste qu'elle ne protesta même pas. Elle se contentait de le fixer bouche bée, partagée entre l'envie de le gifler et celle de parcourir du bout du doigt les contours anguleux de son visage. Quand il lui sourit elle retrouva sa voix.

— Je vous préviens que si vous ne cessez pas immédiatement votre petit jeu vous allez vous retrouver avec mon poing dans la figure !

Son sourire s'élargit.

— Je vous crois sur parole.

Il posa un dernier baiser sur sa main avant de la relâcher.

— Eh bien ! Avez-vous décidé de me laisser mourir de faim, Murdock ? lança-t-elle dans un effort évident pour se ressaisir.

Sans attendre sa réponse, elle passa devant lui et prit place dans sa superbe Maserati.

— Beau jouet.

Elle aimait trop les lignes racées et la vitesse pour ne pas apprécier les voitures de sport.

— Ravi qu'elle vous plaise, déclara-t-il en actionnant le démarreur. J'ai pensé qu'une Jeep ne convenait pas à ce genre de circonstances.

— Je vous rappelle que notre rendez-vous est d'ordre strictement professionnel.

— Bien entendu.

Elle se tourna vers lui pour juger de son habileté au volant. Il maîtrisait les voitures aussi bien que les chevaux et elle se dit qu'il devait faire preuve avec les femmes d'une égale assurance. Un petit sourire s'inscrivit sur ses lèvres. Elle se promettait de lui donner du fil à retordre.

— Que pense votre père de ma visite ? s'enquit-elle nonchalamment.

Les rayons obliques du soleil couchant parsemaient la prairie de paillettes d'or.

— Que devrait-il en penser ?

— Tant que je n'étais pour lui que la petite-fille de Clay Baron il me trouvait charmante. Mais dès qu'il a compris que je dirigeais le ranch, son attitude a changé du tout au tout. Vous pactisez avec l'ennemi, non ?

— Je peux vous retourner le compliment, rétorqua-t-il en croisant son regard malicieux.

— Disons qu'il s'agit d'une ruse de guerre. Adam...

Elle hésita un instant avant d'aborder un sujet qu'elle savait douloureux.

— Votre père est très malade, n'est-ce pas ?

L'expression d'Adam changea à peine, mais elle eut soudain l'impression qu'il se refermait sur lui-même.

— Oui.

— J'en suis navrée.

Elle dirigea son regard vers la fenêtre et se mit à contempler pensivement le paysage.

— Ce doit être très dur pour lui.

— Il ne lui reste plus longtemps à vivre.

— Vraiment ?

— Les médecins lui donnaient un an ou deux, il y a cinq ans. Il a réussi à les faire mentir jusque-là mais maintenant...

Ses phalanges blanchirent contre le volant puis ses doigts se détendirent de nouveau.

— Il tiendra peut-être jusqu'à l'hiver...

Il avait parlé d'un ton tellement neutre qu'elle se demanda si elle n'avait pas imaginé sa soudaine émotion.

— Il n'y a eu aucune rumeur.

— Non, et nous ne voulons pas qu'il y en ait.

— Mais alors, pourquoi m'avoir révélé un secret ?

— Parce que j'ai confiance en vous.

Jillian l'observa un instant sans mot dire. Aucun compliment tendrement chuchoté n'aurait pu lui faire plus plaisir que cette brusque déclaration.

— Je plains votre mère.

— Elle est beaucoup plus coriace qu'il n'y paraît.

— Je le crois bien volontiers, répondit-elle en souriant. Sinon comment aurait-elle pu supporter un tel mari... et un tel fils ?

Ils franchirent l'enseigne du Double M. L'air du crépuscule était doux et la faible lumière conférait au décor un aspect irréel.

— J'adore cette heure de la journée, murmura-t-elle comme pour elle-même. Le travail s'achève mais il n'est pas encore temps de penser au lendemain.

— Ne vous est-il jamais venu à l'esprit que vous vous surmeniez ? demanda-t-il.

— Non.

— Je m'en doutais.

— Vous n'avez tout de même pas l'intention de vous mêler de mes affaires ?

— Il n'en est pas question !

Mais il s'était discrètement informé. De l'avis général, Jillian Baron ne se ménageait pas.

— Que faites-vous pour vous détendre ?

Son air interloqué le renseigna bien mieux que des paroles.

— Je n'ai pas tellement le temps de me distraire. Mais à l'occasion, j'aime bien lire un roman ou regarder un film à la télévision.

— Occupations bien solitaires !

— N'ai-je pas choisi un mode de vie solitaire ? rétorqua-t-elle.

Mais elle s'interrompit aussitôt, intriguée par la petite maison blanche devant laquelle Adam venait de ranger la voiture.

— Où sommes-nous ?

— Chez moi, répondit-il d'un air détaché en sortant du véhicule.

Jillian contempla la bâtisse en fronçant les sourcils. Tout naturellement, elle avait pensé qu'il vivait dans la luxueuse demeure familiale et, tout aussi naturellement, elle avait supposé que le dîner s'y déroulerait. Comme il ouvrait la portière, elle se tourna vers lui et lui lança un regard soupçonneux.

— Que manigancez-vous ?

— Rien. Je vous avais promis un repas d'affaires et je m'y tiendrai.

— Mais j'avais cru comprendre qu'il aurait lieu là-bas.

Elle pointa son doigt en direction du ranch. Adam suivit son geste, puis son regard malicieux se posa de nouveau sur le visage de la jeune femme.

— Il doit s'agir d'un malentendu.

— Que vous vous êtes bien gardé de dissiper.

— Ou d'encourager, rétorqua-t-il. Mes

parents n'ont rien à voir avec l'affaire qui nous occupe. Mais peut-être redoutez-vous un tête-à-tête avec moi ?

— Vous vous surestimez, Murdock.

Il comprit à son air résolu qu'elle ne se déroberait pas, quoi qu'il arrive. Il ne put résister à l'envie de profiter de la situation. Abaissant son visage, il effleura ses lèvres.

— Peut-être, murmura-t-il, peut-être pas... En tout cas, rien ne nous empêche de nous réfugier auprès de mes parents pour plus de sûreté.

Le cœur de Jillian battait la chamade. Mais accepter son offre eût constitué un aveu de faiblesse.

— Vous ne me faites pas peur, lança-t-elle d'un ton neutre et elle se dirigea vers la maison.

Oh que si ! pensa Adam. Mais cette certitude renforçait son admiration pour la jeune femme. Malgré ses appréhensions, elle paraissait décidée à lui tenir tête. La soirée promet d'être passionnante, se dit-il en refermant la porte.

On ne pouvait reprocher à Adam son manque de goût. Rien de tel qu'un intérieur pour vous renseigner sur la personnalité de son occupant. De toute évidence, il avait hérité du sens artistique de sa mère. La simplicité du décor était rehaussée par une tapisserie aux couleurs vives qui ornait un pan de mur. Les quelques meubles qui occupaient la pièce dénotaient une préférence pour les lignes sobres et élégantes.

La demeure n'était pas vaste. Pourtant, on ne s'y sentait pas à l'étroit. Intriguée, Jillian se dirigea vers une vitrine où était exposée une collection de figurines.

Une reproduction miniature d'un mustang au galop retint son attention. Pourquoi fallait-il qu'il apprécie justement ce qui la touchait le plus ? Mais elle se rappela aussitôt à l'ordre. Elle devait à tout prix rester sur la défensive.

— Charmante maison. Quoiqu'un peu nue pour quelqu'un qui a connu votre enfance dorée.

— Je prends votre remarque comme un compliment. Comment aimez-vous votre steak ?

— A point.

— Venez me tenir compagnie pendant que je le prépare.

Il lui offrit le bras et la conduisit à la cuisine.

— J'ai donc droit à un steak de chez Murdock, confectionné par un Murdock et servi par un Murdock. J'imagine que je devrais être flattée.

— Considérons cela comme un gage de paix.

— Pourquoi pas, répondit-elle prudemment. Puis elle ajouta avec un sourire :

— Mais je vous préviens que si vous le brûlez c'est l'incident diplomatique. Je n'ai pas mangé depuis ce matin.

— Pour quelle raison ?

Devant son air réprobateur, elle ne put s'empêcher de pouffer.

— J'ai passé la journée dans mes livres de comptes et ce genre d'activité ne m'ouvre guère l'appétit. En tout cas, bravo pour votre sens du rangement, dit-elle en parcourant du regard la cuisine étincelante de propreté.

— La rude vie des baraquements vous enseigne ce genre de discipline.

— Comment, vous avez logé avec vos hommes alors que... ?

Elle s'interrompit, consciente de commettre une nouvelle indiscrétion.

— Je m'entends beaucoup mieux avec mon père quand une certaine distance nous sépare.

Comme vous avez pu le constater, nous ne sommes pas d'accord sur tout.

— J'ai entendu dire que vous aviez eu une grosse dispute juste avant votre départ pour Billings.

— Et vous vous demandez pourquoi j'ai, disons, cédé, au lieu de l'envoyer au diable et de monter mon propre ranch.

— Je reconnais que la question m'a effleuré l'esprit. Mais vous n'êtes pas obligé d'y répondre.

Il lui servit un Martini avant de répliquer :

— Non, rien ne m'y oblige.

La jeune femme but son apéritif à petites gorgées tandis qu'il faisait cuire les steaks avec cette économie de mouvement si caractéristique. Cinq ans auparavant, les médecins jugeaient son père condamné. Et c'est justement l'époque à laquelle il était parti pour Billings. Attendait-il que la place soit libre ? Non, elle ne pouvait le croire. Même s'il n'éprouvait pas pour son père un attachement sans bornes, il n'était ni assez calculateur, ni assez cynique pour souhaiter sa disparition.

— Puis-je faire quelque chose ?

Adam la regarda par-dessus son épaule. Il devinait le cheminement qu'avaient emprunté ses pensées et il comprit que la balance avait penché en sa faveur. Il tenta de se persuader que ses conclusions lui importaient peu, mais sans succès. Pourquoi donc tenait-il tant à produire une bonne impression sur elle ? Une soudaine émotion lui noua la gorge.

— Oui, ceci, dit-il.

Délaissant la cuisson des steaks, il se dirigea vers elle et emprisonna son visage pour s'empa-

74

rer de ses lèvres. Il comptait sur ce geste pour rompre le charme, mais au contact de la bouche de la jeune femme si tendre, si douce, le trouble qu'il éprouvait déjà menaça de le submerger.

Jillian se raidit et tenta de le repousser. Adam prit conscience que cette fois il n'agissait pas par bravade. Il souhaitait simplement se laisser bercer par l'indicible ivresse que lui procurait ce baiser.

— Non, Jillian, je vous en prie.

Il enfouit les doigts dans ses cheveux.

— Ne me repoussez pas, pour une fois.

Quelque chose dans l'intonation d'Adam, cette passion contenue, cette fièvre, l'obligea à lui obéir presque malgré elle. Alors, elle s'abandonna aux délicieuses sensations qui envahissaient son corps. Elle renversa la tête en arrière, jeta les bras autour de son cou et lui rendit son baiser avec fougue.

Adam ne se savait pas capable de tendresse. Jamais aucune femme ne lui avait inspiré ce sentiment. Il ignorait que le désir pouvait s'accompagner d'une telle envie de partage. Et cette constatation suscita en lui une douce euphorie.

Il s'écarta d'elle, scruta son visage comme s'il cherchait à percer le mystère de son cœur tout en redoutant la réponse qui se faisait progressivement jour dans son esprit.

Jillian recula d'un pas et s'appuya à la table de cuisine contre laquelle elle venait de buter. Elle mesurait maintenant l'étendue du pouvoir qu'Adam exerçait sur elle et elle prit conscience de sa propre faiblesse, sentiment qu'elle haïssait par-dessus tout.

— Je suis venue pour parler affaires.

— Vous avez raison, murmura-t-il, avant de

se tourner vers la cuisinière. Buvez votre apéritif, Jillian.

Elle lui obéit uniquement parce qu'elle avait besoin de quelque chose pour apaiser ses nerfs.

— Je vais mettre la table.

— Les assiettes sont dans ce placard, confiat-il en désignant le meuble sans lever les yeux.

Quand le repas fut servi, Jillian contempla la nourriture avec enthousiasme.

— Vous êtes un vrai cordon-bleu ou alors c'est moi qui meurs de faim.

— Il doit y avoir un peu des deux.

Ils commencèrent à manger sans mot dire. Adam fut le premier à rompre le silence.

— Pourquoi avez-vous quitté Chicago ?

— Je ne m'y sentais pas chez moi. Quand je suis venue à Utopia pour la première fois, j'ai éprouvé un véritable coup de foudre.

— Qu'en pensent vos parents ?

— Ils ne partagent pas mon goût pour la vie au grand air, répliqua-t-elle en riant.

— Non, je veux dire, comment ont-ils accueilli votre décision de reprendre le ranch ?

La jeune femme haussa les épaules.

— Mon père ne jure que par Chicago. Mais bien que j'y sois née, je ne me suis jamais adaptée à la vie citadine.

— Pour quelle raison ?

— Je n'ai jamais pu apprendre le solfège.

— Où est le rapport ?

— Selon mes parents, une jeune fille de la ville se doit de jouer du piano. Et ils ont bien d'autres principes auxquels je ne suis jamais parvenue à me plier. Les choses ont commencé à changer pour moi quand je suis venue ici pour la première fois. Clay me comprenait. Il criait et jurait au lieu de faire la morale.

Adam éclata de rire.

— Vous aimez qu'on vous rudoye?

— Pour moi un sermon constitue la pire des punitions.

— Mais pourquoi ne vous êtes-vous pas installée ici plus tôt?

— Papa attachait une grande importance aux études, répondit-elle en haussant les épaules. Je me suis inscrite à l'université pour ne pas le décevoir et j'y ai rencontré...

Jillian s'interrompit soudain. Elle n'allait tout de même pas lui confier les détails les plus intimes de son passé?

— Enfin, ça n'a pas marché. Et je suis venue à Utopia.

Ainsi donc, elle avait vécu une expérience malheureuse. Adam s'abstint de l'interroger sur cet épisode visiblement douloureux mais il maudit intérieurement l'homme qui avait déçu ses espoirs d'adolescente.

— Je pense que ma mère a raison : il y a des choses que l'on a dans le sang. Votre place est bien ici, Jillian.

Son intonation caressante lui fit lever les yeux. Entendait-il par là que sa place était au ranch... ou bien auprès de lui?

— Je me sens bien à Utopia, déclara-t-elle pour mettre les points sur les i. Et j'ai bien l'intention d'y rester. Mais... Je repense à l'affirmation de votre père : « Un Murdock ne traite pas avec une Baron. » Qu'en pensez-vous?

— Mon père ne régit ni ma vie professionnelle ni ma vie privée.

— Comptez-vous sur ce dîner pour affirmer votre indépendance ?

— Je n'agis jamais par esprit de contradiction. Votre jument m'intéresse vraiment.

Elle comprit à l'éclat de ses prunelles qu'il n'avait pas besoin de stratagèmes pour imposer sa volonté. Elle eut envie de le presser de questions. Mais, après tout, peu lui importaient ses raisons. Elle alla donc droit au but.

— Quelles sont vos exigences ?

Adam prit tout son temps pour répondre. Il scruta un instant son visage puis déclara :

— Je constate que vous avez fait honneur à mon repas.

Surprise par ce brusque changement de sujet, la jeune femme contempla son assiette vide.

— En effet je n'en ai pas laissé une miette, admit-elle avec un petit rire.

— Si nous allions prendre le digestif au salon. A moins que vous ne désiriez une tasse de café.

— Non, je vous remercie.

Elle se leva et l'aida à débarrasser la table.

— J'en ai bu tout l'après-midi en épluchant mes comptes.

— On dirait que ce genre de corvée ne vous enchante pas, constata-t-il en la guidant vers la salle de séjour.

— Il faut bien que quelqu'un s'en charge.

— Pourquoi n'engagez-vous pas un comptable ?

— J'y songe. Peut-être l'année prochaine, confia-t-elle avec un haussement d'épaules. Disons que j'ai pris la fâcheuse habitude de tout vouloir superviser.

— Le bruit court que vous maniez le lasso comme personne.

78

Elle ramena gracieusement sa jupe sous ses jambes pour s'asseoir sur le canapé.

— Pour une fois les bruits sont fondés, dit-elle avec un sourire narquois.

— Je l'admets volontiers. Pourtant cela n'enlève rien à votre charme féminin.

— Je croyais que nous étions ici pour parler affaires. Fixez-moi votre prix pour Samson.

Il remplit deux verres de cognac, lui en tendit un et la fixa droit dans les yeux.

— Le premier poulain.

Chapitre 5

L'exigence d'Adam laissa Jillian sans voix. Elle croyait avoir habilement mené la transaction et elle prenait conscience qu'il avait encore un temps d'avance sur elle.

— Le premier...

Elle reposa rageusement son verre.

— Vous plaisantez, j'espère.

— L'argent ne m'intéresse pas. Je vous garantis deux portées. Je me réserve le premier poulain, mâle ou femelle.

— Vous n'espérez tout de même pas que je vais prendre en charge tous les frais de l'opération pour vous en abandonner gracieusement le résultat ?

Adam, visiblement très détendu, se renversa sur son siège. Il avait presque oublié le plaisir d'un bon marchandage.

— Mais vous aurez le second pour rien. Et je suis prêt à partager les dépenses. De toute façon, c'est à prendre ou à laisser.

Oh ! Comme elle aurait aimé lui jeter son refus au visage ! Elle se leva, vibrante de colère, et se planta devant la fenêtre. Mais pourquoi ne déclinait-elle pas son offre ? C'est alors qu'elle comprit à quel point ce projet lui tenait à cœur. Elle sentait que le résultat serait un succès. Clay se moquait souvent de ses intuitions. Et pourtant, elles s'étaient toujours vérifiées. L'énormité des prétentions d'Adam lui posait un véritable dilemme.

Elle laissa son regard se perdre dans la nuit opaque. Derrière elle, Adam attendait sa réponse en silence.

— Le premier poulain me reviendra, déclaret-elle enfin d'un ton ferme. Je vous laisse le second. Et nous partageons la note du vétérinaire pour les deux portées.

Adam haussa les sourcils. Décidément, elle ne manquait pas d'aplomb! Mais il savait qu'à sa place il aurait agi exactement de la même façon et cette pensée l'amusa.

— D'accord, j'accepte vos conditions, dit-il après un instant de réflexion.

Jillian acquiesça d'un hochement de tête et lui tendit la main.

— Etablirez-vous le contrat ou dois-je m'en charger?

— Votre parole me suffit amplement.

— Si vous n'y voyez pas d'inconvénient je préfère mettre tout ça noir sur blanc.

Adam sourit et caressa du pouce les doigts de la jeune femme.

— Vous vous méfiez de moi, Jillian?

— Comme de la peste, rétorqua-t-elle.

Puis elle éclata de rire en constatant que, loin de le vexer, sa réaction lui procurait une évidente satisfaction.

— J'apprécie beaucoup votre franchise. Dommage que je me sois absenté pendant cinq longues années. Mais je suis sûr que nous rattraperons le temps perdu.

— Je n'ai nullement l'impression d'avoir perdu mon temps... Bien! puisque la question est réglée je vais prendre congé. Il faut que je me lève tôt demain matin.

— Etes-vous certaine que nous avons pensé à tout ?

— Vous allez encore m'obliger à me fâcher, déclara-t-elle posément tandis qu'il s'avançait vers elle.

Il emprisonna ses mains avec douceur mais fermeté.

— Nous sommes faits l'un pour l'autre, Jillian, pourquoi le nier ?

La jeune femme n'essaya pas de se dégager.

— Dites, plutôt, que nous nous entendons comme chien et chat, lâcha-t-elle d'un ton neutre en soutenant bravement son regard.

— Je l'ai compris dès l'instant où je vous ai vue, poursuivit-il sans tenir compte de sa réflexion.

— Vous semblez oublier un détail : je n'éprouve pas la moindre attirance pour vous.

Malgré tous ses efforts, elle ne put empêcher sa voix de trahir son émoi.

— Je vous mets au défi de le répéter dans la minute qui vient.

Il s'empara fougueusement de ses lèvres. Avec elle, ses émotions ne connaissaient pas de juste mesure. Il éprouvait tantôt une indicible tendresse, tantôt la flamme d'une passion dévorante. Le corps de la jeune femme se raidit comme si tout son être se révoltait contre cette étreinte. Mais soudain, elle se détendit et elle jeta les bras autour de son cou.

Alors, une douce ivresse s'empara d'elle. Rien n'existait plus que ce feu intérieur qui la consumait, que cette merveilleuse griserie qui muselait sa raison et l'emportait dans un univers de délicieuse insouciance. Avec une ardeur sans mélange, elle lui rendit son baiser.

Quand il délaissa sa bouche, elle voulut protester mais sa plainte se mua en un gémissement de plaisir tandis que les lèvres d'Adam se posaient sur sa gorge nacrée. Instinctivement, elle rejeta la tête en arrière pour mieux s'offrir à ses baisers. Il traça des sillons torrides sur son cou, remonta jusqu'à son oreille pour y glisser des mots sans suite. Mais peu importait à Jillian le sens de ses paroles. Leur seule musique propageait en elle un irrépressible frisson. Alors, elle chercha de nouveau ses lèvres.

Adam sentait le corps de la jeune femme vibrer entre ses bras et il comprit qu'elle réclamait ses caresses. Ils basculèrent sur le canapé étroitement enlacés. Ses mains parcouraient l'étoffe soyeuse qui voilait les formes de Jillian. Il s'imprégnait de leur douceur, de leur souplesse, de leur chaleur. Sa poitrine fragile palpitait sous sa paume qu'elle remplissait de sa ferme rondeur. Leurs deux cœurs battaient à l'unisson et rythmaient la cadence effrénée de leurs ébats.

Le parfum de la jeune femme, à la fois subtil et envoûtant, l'enveloppait de son empreinte indélébile. Dans la tiédeur de son souffle saccadé, naissaient de voluptueuses promesses.

Jillian perdait progressivement le contrôle de son corps tandis que ses pensées fusaient dans mille directions. Cette étreinte brûlante lui paraissait naturelle. Ces baisers fougueux comblaient un vide dont elle venait seulement de prendre conscience.

Personne ne l'avait jamais désirée ainsi. Mais, surtout, elle n'avait jamais répondu aussi spontanément au désir d'un autre être. Rien ne l'avait préparée à cet ouragan sensuel. Elle aurait aimé qu'il l'emporte comme un fétu de paille.

La main d'Adam glissa le long de sa cuisse et toutes les émotions qui se bousculaient en elle se réunirent soudain comme l'amoncellement de nuages qui annonce l'orage. S'il éclatait, elle était perdue. Jamais elle ne parviendrait à rassembler les fragments épars de sa lucidité.

Alors, prise de panique, elle se débattit à la fois contre sa propre faiblesse et contre ce corps brûlant qui la maintenait prisonnière.

— Non !

De toutes ses forces, elle le repoussa.

— Jillian, pour l'amour du ciel.

— Non.

La peur décupla son énergie et elle parvint à se dégager. Sans même prendre le temps de réfléchir, elle se précipita hors de la maison.

— Bon sang, Jillian ! A quel jeu jouez-vous ? s'exclama Adam quand il la rejoignit.

Il l'attrapa par le bras et l'obligea à lui faire face.

— Lâchez-moi. Je déteste qu'on me touche.

— J'aurais pourtant juré le contraire il y a quelques minutes, railla-t-il.

Mais il s'interrompit quand il surprit l'éclat de son regard.

Il y lut un mélange de peur, d'orgueil, de passion et de douleur. Il prit alors conscience que ses doigts meurtrissaient la chair de la jeune femme. Il desserra son étreinte. Pourtant, il savait qu'il pouvait encore la forcer à lui donner ce qu'il attendait d'elle. Mais le respect que lui imposait la fierté de Jillian l'en empêcha.

— Vous savez, Jillian, vous n'échapperez pas à l'inévitable. Tout au plus, pourrez-vous en retarder l'échéance.

Elle allait répondre quand, d'un mouvement de tête, il lui imposa le silence.

— Non, je vous en prie, pas de discours. Il vaut mieux que je vous raccompagne chez vous avant d'oublier des règles que je n'ai encore jamais respectées.

Il lui ouvrit la portière puis contourna la voiture pour s'installer au volant. Ils roulèrent dans un silence pesant. Jillian se tenait très raide sur son siège comme pour dompter les pulsions qui l'assaillaient encore. Elle maudissait Adam. Mais quand elle eut enfin retrouvé son calme, elle se reprocha son propre comportement. Elle le désirait sans oser se l'avouer et, chaque fois qu'il posait les mains sur elle, toutes ses réticences disparaissaient comme par enchantement. Cependant, les sensations qu'elle éprouvait étaient si violentes qu'elle se révoltait soudain contre cette coupable faiblesse et le repoussait sans ménagement. Quel homme digne de ce nom aurait supporté un tel traitement ? Ce genre d'attitude lui inspirait d'ordinaire le plus profond mépris et elle jugeait la réaction d'Adam tout à fait légitime. Pourtant, le déchaînement de passion qu'il suscitait en elle, chaque fois qu'il la serrait dans ses bras, constituait un bien trop grand danger.

Si elle capitulait il lui faudrait bientôt renoncer à cette indépendance à laquelle elle tenait tant. Néanmoins, elle ne pouvait nier qu'elle s'était conduite comme une idiote et il lui coûtait toujours beaucoup de reconnaître ses torts.

Un daim surgit d'un fourré et s'immobilisa,

soudain paralysé par la lumière des phares. Adam freina mais, déjà, l'animal avait disparu d'un bond dans la nuit. Ce spectacle réchauffa le cœur de Jillian. Elle se tourna vers son compagnon et constata à l'éclat de ses prunelles qu'il éprouvait un plaisir enfantin identique au sien.

— Je suis désolée.

Les mots lui avaient échappé.

Il la contempla longuement et, malgré ses efforts évidents pour garder une mine sévère, il ne put réprimer un large sourire.

— Disons que nous avons, l'un sur l'autre, un effet sacrément explosif.

Elle ne pouvait le nier. Mais elle n'avait pas non plus envie d'approfondir la question.

— Puisque nous allons être amenés à nous revoir, peut-être vaudrait-il mieux que nous nous efforcions de trouver un terrain d'entente.

— Qu'entendez-vous par là ?

— Nos relations doivent rester strictement professionnelles, déclara-t-elle d'un ton sec pour répondre à son air goguenard.

Mais loin de le décontenancer, cette soudaine froideur eut le don de l'amuser.

— Vous êtes idiot ou vous le faites exprès ?

— Non, non, Jillian, je vous en prie, pas d'insulte. Vous allez compromettre nos négociations de paix.

La jeune femme tenta de garder son sérieux mais échoua.

— Ainsi donc, nous voici partenaires commerciaux, poursuivit-il. Et voisins de surcroît, ne l'oubliez pas.

— Aucun risque, rétorqua-t-elle avec un petit hochement de tête. Pour vous prouver ma bonne volonté j'accepte même de vous considérer comme un confrère.

— C'est trop d'honneur. Mais puis-je vous poser une question ?

— Je vous en prie.

— Pourquoi toutes ces étiquettes ?

— Bon sang, Adam, j'essaye de mettre les choses au point entre nous, de façon à éviter d'avoir à renouveler mes excuses.

— Elles sont si joliment formulées, franches, spontanées ! Dommage que leur effet soit gâché par un nouvel accès de colère.

— Mais je ne suis pas en colère !

— Ça ne va pas tarder.

— Jamais de la vie !

— On parie ?

— Pas question. Je devine très bien ce que vous complotez pour me faire mentir, rétorqua-t-elle en pouffant.

— Vous voyez, nous commençons déjà à nous connaître.

Comme ils arrivaient devant le ranch, Adam gara la voiture et, après avoir coupé le moteur, se tourna vers elle. La lumière du porche jouait sur le modelé de son visage.

— Notre collaboration sera fructueuse si nous y mettons chacun du nôtre, déclara-t-elle d'une voix mal assurée.

— Tout à fait d'accord.

Il se rapprocha d'elle et elle sentit ses doigts lui effleurer l'épaule.

— Puisque aucun de nous n'a l'intention de déménager, nous sommes condamnés à rester voisins. Une fois ce principe admis, nous devrions être capables de nous entendre.

— Vous semblez oublier un détail.

— Lequel ?

— Vous avez parfaitement établi nos positions respectives mais vous n'avez rien dit de nos futures relations sentimentales.

— Vous êtes incorrigible.

Quand elle voulut ouvrir sa portière, il interrompit son geste.

— Je ne suis pas d'une nature patiente mais je ne renonce jamais.

— Vous risquez d'attendre longtemps.

— Probablement plus que je ne le souhaiterais mais certainement moins que vous le croyez.

Sans relâcher sa main, il fit jouer la poignée.

— Bonne nuit, Jillian.

Elle sauta de la voiture et le foudroya du regard.

— Ne vous avisez pas de franchir la ligne de partage avant d'y avoir été invité, Murdock.

Sur ces mots elle claqua la portière et gravit quatre à quatre les marches du perron.

Les jours qui suivirent, Jillian tenta de ne pas penser à Adam. Quand elle n'arrivait pas à le chasser de son esprit, elle tâchait de se remémorer ses griefs envers lui. Mais s'il lui arrivait de le considérer comme un être égoïste et autoritaire, habitué à ce qu'on cède à tous ses caprices, elle ne pouvait ignorer le désir qu'il savait si bien susciter en elle.

Pour faire échec à ce harcèlement incessant, elle s'étourdissait de travail. Mais, aussi courtes que fussent ses nuits, elles étaient néanmoins peuplées d'images obsédantes. Elle croyait sentir le corps d'Adam contre le sien, la douceur de ses lèvres, la tiédeur de son souffle.

Elle se levait de plus en plus tôt, se couchait de plus en plus tard. Elle parcourait le domaine en tous sens, participait aux tâches les plus pénibles. Pourtant, même lorsqu'elle tombait sur son lit, épuisée, les rêves étaient encore là pour venir la hanter.

— Tu travailles trop, déclara un jour Jim tandis qu'ils s'accordaient une pause après avoir passé la matinée à rassembler le bétail. Non, pas la peine de prendre cet air étonné, tu sais très bien que j'ai raison. Que se passe-t-il ?

— Mais rien. Avec les moissons qui approchent, le marquage de printemps et, surtout, la préparation de la foire de juillet, ce n'est vraiment pas le moment de chômer.

— Tu pourrais tout de même t'offrir quelques jours de repos.

— Le patron se doit de donner l'exemple.

— Dans ce cas, j'ai bien peur qu'un poids supplémentaire ne vienne alourdir ton fardeau, déclara Jim avec un soupir résigné.

— Que veux-tu dire ?

— Viens, il faut que je te montre quelque chose.

Sans un mot, elle s'empara des rênes de Dalila et suivit Jim. Elle connaissait trop bien son contremaître pour le harceler de questions inutiles.

— Regarde.

Du doigt il désignait une large brèche dans la clôture.

— Bon sang ! On l'a vérifiée il y a une semaine à peine. Il va me falloir plusieurs hommes pour rassembler le bétail égaré.

— Oui. Et tu n'as pas tout vu.

Il s'accroupit et lui tendit une des extrémités du barbelé.

Intriguée, la jeune femme baissa les yeux pour constater avec horreur que la coupure était beaucoup trop franche, trop nette pour être accidentelle. Il s'agissait bel et bien d'un geste criminel.

Elle redressa la tête et dirigea son regard vers la pâture voisine. Elle appartenait au ranch du Double M.

Jillian s'attendait à éprouver une violente colère mais, au lieu de l'irriter, cette constatation l'affligea profondément. Adam était-il capable d'une telle bassesse ? Etait-ce là sa réponse à l'humiliation qu'elle lui avait infligée en le repoussant ?

— Je te laisse le soin de réparer les dégâts. Mais, surtout, je compte sur ta discrétion.

— Bien, patron.

— Si je ne suis pas de retour à temps, commencez le marquage sans moi, dit-elle en enfourchant son cheval.

Elle franchit les barbelés avec précaution puis lança sa monture au triple galop. Elle avisa bientôt un groupe d'employés du Double M.

— Je cherche Murdock. Adam Murdock.

— Il rassemble le bétail du côté nord, répondit l'un d'eux visiblement impressionné par l'expression outragée de la jeune femme.

— Il y a une brèche dans la clôture. Mon contremaître va envoyer des hommes par ici pour rattraper nos bêtes. Je vous conseille d'en faire autant.

Sans attendre sa réponse, elle partit à bride abattue dans la direction qu'il lui avait indiquée.

Elle aperçut bientôt Adam, juché sur Samson,

qui virevoltait autour d'un veau récalcitrant.
Elle passa devant un groupe de cow-boys et, sans
prêter attention à leurs regards intrigués, se
dirigea droit sur lui.

Le rebord de son chapeau projetait sur son
visage une ombre opaque qui dissimulait son
regard. Il attendit qu'elle l'eût rejoint.

— Jillian !

Il devina tout de suite que quelque chose
n'allait pas.

— Il faut que je vous parle, Murdock.

— Je vous écoute.

Profitant de cet instant de répit, le veau
s'échappa et Adam allait reprendre ses manœu-
vres d'encerclement quand la jeune femme posa
la main sur le pommeau de sa selle.

— Non, pas ici. En privé.

Il l'observa un moment puis fit signe à un de
ses hommes de s'occuper de l'animal.

— Soyez brève, dit-il tandis qu'ils s'éloi-
gnaient du groupe. Je n'ai pas de temps à perdre
en mondanités.

— Il ne s'agit pas de mondanités.

— Quel est votre problème ?

Quand elle fut certaine d'être hors de portée
d'oreilles indiscrètes, Jillian fit halte et déclara :

— Il y a une brèche dans la clôture ouest.

— Et vous voulez que je la répare ?

— Je veux savoir qui l'a faite.

Adam resta un instant sans voix. Elle ne
pouvait toujours pas voir ses yeux mais elle
devinait son expression interloquée.

— Coupée ?

— Parfaitement. C'est Jim qui s'en est aperçu
et qui me l'a signalé.

Il rejeta son chapeau en arrière et elle découvrit enfin son visage.

— Vous n'êtes tout de même pas en train de m'accuser ? s'enquit-il d'un air menaçant.

— Je constate les faits, c'est tout.

Un rayon de soleil fit étinceler ses prunelles. Avec une lenteur calculée, il l'empoigna par le revers de son blouson et déclara en détachant chaque syllabe :

— Je ne coupe pas les clôtures.

Elle n'essaya pas de se libérer. Au contraire, elle soutint son regard. Une brise légère soulevait les mèches qui s'échappaient de son couvre-chef.

— Un barbelé peut être sectionné de deux côtés, Jillian.

Elle se dégagea d'un geste rageur.

— Si j'étais coupable, je ne viendrais certainement pas vous prévenir moi-même.

— Mais pouvez-vous répondre de chacun de vos hommes ?

Cette question la prit au dépourvu. Aveuglée par la douleur, puis la colère, elle n'avait pas envisagé tous les aspects du problème. Elle connaissait certains de ses employés depuis des années mais d'autres ne faisaient que passer à Utopia, travailleurs itinérants qui louaient leurs services au plus offrant.

— Vous manque-t-il des bêtes ? s'enquit-elle.

— Je ne sais pas encore.

— Je vais compter les miennes. Nous verrons bien à qui le crime profite.

Chapitre 6

Quand Jillian fut de retour au ranch, le marquage battait son plein. Les bêtes avaient été rassemblées dans un immense enclos pour être triées. Ce n'était pas le moment de se lamenter sur une clôture coupée.

A l'intérieur du coral, plusieurs cavaliers poussaient vaches et veaux vers une issue où une rangée d'hommes filtraient les petits et refoulaient les mères, à grand renfort de gesticulations et de jurons imagés. Jillian enfonça son chapeau sur sa tête et se joignit à eux en riant.

Dans un nuage de poussière, les vaches tentaient de rompre le cordon pour rejoindre leurs rejetons. Mais la barrière humaine tenait bon contre les assauts des ruminants affolés.

Jim attrapa au lasso un veau qui essayait de lui fausser compagnie et, d'une tape sur le flanc, l'envoya retrouver ses congénères. Puis il se tourna vers Jillian et lui décocha un clin d'œil complice.

— La clôture est-elle réparée ? demanda-t-elle à mi-voix.

— Oui !

— Parfait. Il faut que je te voie tout à l'heure.

Jim ôta son chapeau et essuya son front avec la manche de sa chemise poussiéreuse avant de recoiffer son Stetson.

— Dès que nous en aurons terminé avec ces galopins, dit-il en poussant un retardataire dans l'enclos qui lui était destiné.

On referma bientôt la barrière sur les veaux qui réclamaient leur mère en beuglant.

— Ce ne sera pas long, leur promit Jillian.

La suite ne l'enchantait pas outre mesure bien qu'elle ne l'ait jamais ouvertement reconnu. Il s'agissait de filtrer les petits, un à un, pour les marquer au fer rouge et les vacciner. Mais elle s'attela bravement à la tâche, tantôt jouant du fer, tantôt de la seringue. Une odeur de sueur, de poil brûlé et de médicament emplissait l'air. Les cow-boys ponctuaient joyeusement les opérations d'anecdotes colorées que personne ne croyait mais sur lesquelles chacun renchérissait.

Jillian n'en était pas à son premier marquage et pourtant, comme à chaque fois, ce travail rude et simple la renforçait dans sa conviction que sa place était bien là, parmi les hommes et les bêtes, et non pas dans une avenue bondée d'une métropole.

Le soleil déclinait déjà quand la besogne tira à sa fin. Les hommes affamés se dirigèrent joyeusement vers le réfectoire pour se régaler d'un dîner bien mérité.

Fourbue mais ravie, Jillian s'assit sur une caisse pour essuyer la poussière de son visage. Sa chemise trempée de sueur lui collait à la peau. Et ils n'avaient marqué qu'une centaine de bêtes ! se dit-elle en étirant ses membres endoloris. Ils en avaient encore au moins pour une semaine de labeur acharné. Elle attendit que tout le monde se fût éloigné pour héler Jim. Il prit deux bières dans une glacière et la rejoignit.

— Merci, dit-elle en acceptant la boisson

rafraîchissante dont elle avala une longue gorgée avant de poursuivre :

— J'ai parlé à Murdock. Naturellement il proteste de son innocence. Dis-moi franchement, Jim, le crois-tu capable de ce genre de mesquinerie ?

— Et toi, qu'en penses-tu ?

Que pouvait-elle répondre ? Que les sentiments que lui inspirait Adam l'empêchaient de voir clair ?

— C'est moi qui te pose la question.

— Le garçon a de la classe. Par contre en ce qui concerne le père...

Il scruta l'horizon en plissant les paupières.

— Je suis sûr qu'il n'aurait pas reculé devant ce genre de procédé il y a quelques années. Juste pour faire enrager ton grand-père. Mais le gamin, non, je ne pense pas que ce soit son style. Autre chose...

Il s'interrompit pour avaler une gorgée de bière.

— J'ai compté les bêtes ce matin. Bien sûr mon énumération est approximative.

— Mais ?

— Eh bien ! J'ai peur qu'il nous manque une bonne centaine de têtes.

— Une bonne centaine !

— Un tel nombre ne peut pas s'échapper par une brèche si on ne les y aide pas. Et les hommes que j'ai envoyés chez Murdock n'en ont ramené qu'une dizaine.

— Je vois.

Elle poussa un long soupir.

— Donc, apparemment, il ne s'agit pas d'une malveillance mais bel et bien d'un vol.

— Je le crains !

— Je veux une estimation aussi précise que possible du troupeau dès demain matin. Commence par l'ouest. Jim, il y a de fortes chances pour qu'un des employés du Double M nous dérobe des bêtes, peut-être pour son patron, mais plus probablement pour son propre compte.

— Possible, dit-il en se grattant la nuque.

— A moins que ce ne soit l'un des nôtres.

Il croisa calmement son regard et elle comprit qu'il avait également envisagé cette hypothèse.

— Surtout prends garde que l'affaire ne s'ébruite. Entoure-toi d'hommes sûrs pour compter les bêtes.

Il acquiesça, conscient de la nécessité d'une discrétion absolue. Le vol de bétail restait pour les éleveurs un fléau tout aussi redoutable qu'autrefois.

— Tu vas demander l'aide de Murdock ?

— Si une collaboration s'avère nécessaire.

Elle se souvint de son expression outragée, réaction d'amour-propre qu'elle ne connaissait que trop bien, et ne put réprimer un soupir.

— Je vais manger un morceau. Tu m'accompagnes ? s'enquit Jim avec un sourire.

— Non, je te remercie, je n'ai pas faim.

— Mais, bon sang ! Il faut que tu te nourrisses ! Si tu continues à maigrir, un coup de vent va finir par t'emporter !

— Quel grincheux !

Après s'être assurée que personne ne pouvait les voir, elle l'embrassa affectueusement sur les deux joues, puis monta en selle, sans prêter attention à ses bougonnements.

Pour satisfaire sa curiosité, elle fit d'abord route vers l'enclos ouest. Elle longea la clôture un instant pour contrôler les réparations, puis entreprit de compter les bêtes. Il ne lui fallut pas bien longtemps pour conclure que les estimations de Bill s'approchaient de la vérité. Une centaine de têtes. Elle ferma les yeux et tenta de réfléchir posément.

Les pertes de l'hiver n'avaient pas dépassé les normes généralement admises chez les éleveurs. Mais cette ponction, elle ne la devait pas à la nature. Il fallait qu'elle mette la main sur le coupable le plus vite possible si elle voulait éviter une véritable catastrophe.

Elle éperonna sa monture, fermement déterminée à ne pas céder à la panique. Elle se promit de procéder de façon méthodique. D'abord, établir le nombre exact de bêtes disparues, puis prévenir les autorités. Pour l'instant, elle se sentait lasse, découragée et sale. Une baignade s'imposait.

Il ne s'était écoulé qu'une semaine depuis sa dernière petite visite à l'étang mais le feuillage des peupliers et des trembles s'était épaissi. Déjà, les roses trémières se détachaient sur le vert tendre de la prairie. Le soleil n'allait pas tarder à disparaître derrière les collines mais l'air était encore tiède. Elle mit pied à terre et attacha la jument à la branche d'un arbre.

Après s'être débarrassée de son chapeau, elle s'assit sur un rocher pour ôter ses bottes. Puis son jean et sa chemise rejoignirent les chaussures sur l'herbe mouchetée de pâquerettes.

Au contact de l'eau délicieusement fraîche, elle oublia bien vite sa fatigue, ses courbatures et ses sombres pensées. En tant que propriétaire et patron d'Utopia, elle saurait faire face à ses obligations. Mais pour le moment, elle voulait avant tout profiter de sa jeunesse, de sa liberté et de la merveilleuse nature qui l'entourait. Elle rejeta la tête en arrière et immergea son visage dans l'onde transparente.

Adam ne chercha pas à comprendre comment il s'était douté qu'il la trouverait à l'étang. Il se contentait de la contempler en silence du haut de l'étalon. La jeune femme se laissait dériver au gré du courant sans gestes inutiles, de sorte qu'aucun bruit ne couvrait le chant des oiseaux. Pour la première fois, il la voyait totalement détendue.

Sous la surface légèrement ridée de l'étang, il devinait ses courbes sensuelles. Ses cheveux ruisselants encadraient son visage comme un casque vermeil. Aussitôt, un flot de lave envahit ses veines.

Se pouvait-il qu'elle ignorât les trésors de sensualité que recélait ce long corps souple aux reflets nacrés ? Probablement, se dit-il tandis qu'elle disparaissait sous l'eau. Ses principes lui interdisaient peut-être ce genre de faiblesse. Alors il était temps pour elle d'en prendre conscience.

Quand Jullian refit surface, elle se trouva nez à nez avec Adam. Passé le premier choc, elle s'indigna en se rendant compte de l'inconfort de sa position.

Adam la contemplait, amusé.

— Que faites-vous ici ?

— L'eau est-elle bonne ? s'enquit-il d'un air détaché.

A la place de Jillian, n'importe quelle femme aurait désespérément tenté de dissimuler sa nudité. Mais elle se contentait de hausser le menton avec arrogance.

— Non, elle est glacée. Maintenant, retournez d'où vous venez et laissez-moi prendre tranquillement mon bain !

— Vous savez, j'ai eu une rude journée.

Il s'installa sur un rocher au bord de l'eau. Ses vêtements, tout comme ceux de Jillian, étaient maculés de sueur et de poussière.

— Hmm ! comme c'est tentant !

— J'étais ici la première ! dit-elle entre ses dents. Si vous aviez un minimum de savoir-vivre vous partiriez.

Sans se préoccuper de sa remarque, il se pencha pour retirer ses bottes.

— Mais que faites-vous ?

— Je crois bien que je vais tout de même m'offrir un petit plongeon.

Il lui adressa un sourire désarmant et ôta son chapeau.

— Je vous conseille pourtant d'y réfléchir à deux fois.

Il se leva et déboutonna sa chemise.

— Je vous rappelle que ce côté de l'étang m'appartient.

La chemise glissa sur ses épaules, découvrant un torse bronzé. Une toison bouclée courait sur ses muscles noueux et formait un triangle dont la pointe se perdait sous sa ceinture.

— Bon sang ! Murdock ! grommela-t-elle.

Elle jeta un coup d'œil affolé en direction de ses propres vêtements et constata à son grand désespoir qu'ils étaient hors de sa portée. Elle se sentit prise au piège.

— Détendez-vous, suggéra-t-il en souriant. Nous ferons comme si un réseau de barbelés infranchissable coupait la mare en deux.

Sur ces mots, il défit la boucle de son ceinturon sans la quitter des yeux.

La première réaction de Jillian fut de détourner pudiquement le regard. Mais elle décida au contraire de le fixer avec insistance pour le mettre mal à l'aise. Peine perdue ! Non seulement il ne semblait pas se formaliser de son indiscrétion mais elle ne pouvait s'empêcher d'apprécier le spectacle. Pourquoi fallait-il qu'il fût si beau ? Elle se réfugia prudemment du côté de l'étang qui lui appartenait.

— Cette situation a l'air de beaucoup vous amuser ?

Il pénétra dans l'eau en poussant un soupir de satisfaction.

— Je dois reconnaître qu'elle ne me déplaît pas. Vous venez souvent vous baigner ici ?

— L'endroit est toujours désert. Enfin, presque toujours puisque vous semblez y prendre des habitudes. Il faudra que nous nous mettions d'accord pour y venir à tour de rôle.

— Pourquoi ? Votre présence ne me dérange pas.

Il se rapprocha.

— Restez de votre côté, Murdock, lui ordonna-t-elle, sans pouvoir réprimer un sourire. Vous savez, on tire encore sur les rôdeurs de nos jours.

Pour lui montrer que sa nudité ne la troublait pas le moins du monde, elle se laissa flotter en fermant les yeux.

— J'aime bien venir ici le dimanche pendant que les hommes jouent aux cartes ou se racontent des blagues.

Adam scruta son visage. Comme elle paraissait insouciante.

— Vous n'aimez pas les blagues ?

— Si, mais ma présence gêne ces messieurs. Ils n'osent pas dire des... des bêtises lorsque je suis là.

— Mais comment font-ils, les autres jours ?

— On oublie aisément l'anatomie d'une personne lorsqu'on chevauche à ses côtés ou qu'on travaille avec elle.

— C'est vous qui le dites ! rétorqua-t-il en laissant son regard errer sur ce corps que l'eau dissimulait à peine.

— Et puis il faut aussi qu'ils puissent se plaindre tranquillement, poursuivit-elle avec un petit rire. De la nourriture, de leur salaire, du travail. Ce qu'ils n'osent pas faire quand le patron est là !

Du bout du doigt, elle rida la surface de l'eau et il prit conscience qu'il ne l'avait encore jamais vue accomplir un geste frivole.

— Arrive-t-il à vos hommes de se plaindre, Murdock ?

— Il y a six ou sept ans, une initiative de ma chère sœur a provoqué un tollé général.

La seule évocation de l'événement lui arracha un éclat de rire.

— Elle s'était mis en tête de décorer les baraquements. Rideaux vichy aux fenêtres et papiers bleu canard sur les murs. Vous voyez d'ici le résultat !

— Oh, mon Dieu ! s'exclama-t-elle en se tenant les côtes. Et qu'ont-ils fait ?

— Grève sur le tas. Sur le tas d'ordures, j'entends. Ils ont refusé de nettoyer, balayer, jeter quoi que ce soit. Au bout de deux semaines l'endroit ressemblait à une décharge publique.

— Mais pourquoi votre père ne l'en a-t-il pas empêchée ?

— Suzan ressemble trop à ma mère. Il ne peut rien lui refuser.

La jeune femme hocha la tête en soupirant d'avoir tant ri.

— Les hommes ont-ils obtenu gain de cause ?

— Disons que les rideaux ont mystérieusement disparu un beau soir.

— Vous les avez brûlés ?

— Je ne parlerai qu'en présence de mon avocat ! Il a fallu une bonne semaine pour remettre la place en état.

Elle lui souriait avec tant de spontanéité, tant de gentillesse, qu'il dut faire appel à toute sa volonté pour ne pas la prendre dans ses bras. Mais soudain, le visage de la jeune femme s'assombrit.

— J'ai longé la clôture ouest en venant ici. Je n'ai pas remarqué de nouvelle brèche.

Il se doutait bien qu'elle aborderait fatalement le sujet et ne pouvait que regretter les instants de délicieuse complicité qu'ils venaient de partager. Jamais la compagnie d'une femme ne lui avait procuré autant de plaisir.

— Mes hommes ont rattrapé cinq bêtes sur vos terres. Il paraît que vous aviez deux fois plus de fuyards.

Elle hésita un instant avant de demander :

— Et maintenant, votre troupeau est-il au complet ?

— Oui, je crois, pourquoi ?

— Il me manque une bonne centaine de têtes, répondit-elle d'un ton neutre.

— Une centaine ?

102

Il l'attrapa par le bras sans même réfléchir à son geste.

— Une centaine, vous en êtes sûre?

— Ce chiffre est approximatif. J'en attends la confirmation demain. Mais il m'en manque, ça je peux vous l'affirmer!

Il la fixa sans mot dire et ses pensées empruntèrent le même chemin que celles de la jeune femme quand Jim lui avait annoncé la nouvelle. Il aboutit à la même conclusion.

— Ecoutez, j'effectuerai personnellement l'inventaire de mon troupeau demain matin. Mais je doute fort qu'une centaine de bêtes ait pu se mêler aux nôtres sans que je m'en aperçoive.

— Effectivement, je ne pense pas qu'on les trouvera chez vous.

Adam tendit la main pour effleurer son visage.

— J'aimerais vous aider, si je peux vous être d'une quelconque utilité. Peut-être un tour en avion nous permettrait-il de les localiser plus facilement.

Jillian éprouva une étrange sensation de chaleur. Quelques paroles compatissantes et une légère caresse sur la joue suffisaient à briser ses défenses.

— Merci de votre offre, dit-elle d'une voix hésitante, mais je ne crois pas plus que vous à une disparition accidentelle.

— Vous avez raison. Je vous accompagnerai chez le shérif.

Adam semblait vraiment décidé à lui porter secours et cette constatation la surprit. Insensiblement, ils se rapprochèrent tous deux de cette ligne imaginaire qui partageait l'étang.

— Non, je... ce ne sera pas nécessaire. Je me débrouillerai très bien toute seule.

— Pourquoi refuser mon aide ?

Comment n'avait-il jamais remarqué la fragilité de la jeune femme ? Elle paraissait si jeune, si vulnérable. L'ovale de son visage était si délicat. Il ne put s'empêcher de caresser sa joue qui frémit au contact de ses doigts. Puis son autre main glissa le long de son dos, et il l'attira contre lui.

— Jillian.

Incapable de trouver les mots pour exprimer la violence de son désir, il s'empara de sa bouche. La réaction de Jillian fut instantanée. Comme mus par un ressort, ses bras vinrent se poser de part et d'autre de son cou et elle lui rendit son baiser avec passion. Elle aurait aimé que cette étreinte brûlante dure éternellement. Elle sentait contre sa poitrine le cœur d'Adam battre à tout rompre et la pression de ses lèvres, qui s'accentuait progressivement, propageait dans ses veines une lave incandescente.

Tout son corps appelait ses caresses, tandis qu'une révélation soudaine lui traversait l'esprit : si le désir de partage que lui inspirait Adam augurait bien des vicissitudes, il lui laissait entrevoir un espoir de bonheur auquel elle n'aurait jamais osé prétendre. Cependant, plus sa raison vacillait, plus elle luttait pour ne pas sombrer dans ce gouffre d'oubli qui risquait de lui être fatal. Car il ne s'agissait pas de partage mais bien de soumission. Pouvait-elle se livrer corps et âme à un Murdock ? Commettrait-elle la folie de franchir la frontière imaginaire qui séparait leurs deux clans, depuis déjà si longtemps ?

Elle le repoussa brutalement et le dévisagea avec effroi. Non, il ne fallait pas qu'elle cède à ses pulsions, qu'elle laisse un simple baiser la détourner de sa mission.

— Je vous ai demandé de rester de votre côté, dit-elle d'une voix hésitante. Je ne plaisantais pas.

En quelques brasses, elle regagna la rive. Adam la contemplait sans mot dire, le souffle court. Jamais il n'avait à ce point désiré une femme et jamais il n'avait été éconduit de façon aussi humiliante. Il traversa l'étang dans la direction opposée.

Elle l'entendit se hisser sur la berge mais elle ne se retourna pas. Sans se préoccuper de l'eau qui ruisselait sur son corps, elle enfila sa chemise à la hâte.

— Comment ai-je pu être assez stupide pour vous faire confiance ? J'aurais dû me douter que vous tenteriez de profiter de la situation.

Mais pourquoi les larmes lui brûlaient-elles les paupières ? Elle qui se croyait si forte !

— Vous prétendiez vouloir m'aider dans le seul but d'arriver à vos fins.

— Attention à ce que vous dites, gronda Adam.

Elle fit volte-face, tremblante d'indignation.

— Je n'ai aucune leçon à recevoir de vous. Depuis le début, je sais parfaitement bien ce que vous cherchez.

Il avait passé son jean et la contemplait, immobile.

— Je n'en ai jamais fait mystère.

Son ton détaché eut le don d'accroître la colère de la jeune femme.

— Epargnez-moi votre prétendue franchise. Il se trouve que ma clôture a été sectionnée et qu'il me manque une centaine de bêtes. Ce genre de chose ne se produisait pas quand vous étiez à Billings et que vous attendiez...

Elle s'interrompit soudain, horrifiée par ce qu'elle s'apprêtait à dire. Et toutes les excuses du monde n'auraient pas effacé le regard meurtrier qu'il lui lançait.

— Que j'attendais quoi ? s'enquit-il avec un calme plus inquiétant que les pires menaces.

Malgré le frisson de terreur qui la parcourait, elle parvint à lever le menton.

— C'est à vous de répondre.

Adam n'osa pas aller vers elle car il craignait de ne pouvoir contrôler ses gestes. Sa main se crispa autour du lasso qui pendait à sa selle.

— Je vous fais grâce de vos odieux sous-entendus.

Jillian aurait tout donné pour pouvoir retirer les paroles détestables qu'elle venait de prononcer. Mais il était trop tard.

— Et moi de vos beaux discours ! fit-elle.

Elle se baissa pour ramasser son jean. Alors, avec la vitesse de l'éclair, Adam passa à l'action. Les accusations de la jeune femme avaient fait mouche, non pas parce qu'elles étaient calomnieuses, mais parce qu'il avait cru un moment qu'elle éprouvait les mêmes sentiments que lui, sentiments qu'aucune autre femme ne lui avait jamais inspirés et qui dépassaient largement la simple attirance physique.

Jillian poussa un cri de surprise tandis que le lasso s'enroulait autour de son buste, emprisonnant ses bras.

— Mais que faites-vous ?

— Ce que j'aurais dû faire il y a une semaine.

Les yeux brillants de colère, il l'attira tout contre lui.

106

— Je vous promets de ne plus vous ennuyer avec mes beaux discours.

Elle tenta vainement de se libérer. Mais loin de trahir la moindre frayeur, son regard lançait des éclairs.

— Vous allez le payer très cher !

Il n'en doutait pas une seconde. Pourtant, à ce moment précis, plus rien ne lui importait. Il empoigna sa chevelure encore mouillée et contempla un instant son visage.

— Bon sang, Jillian ! Pourquoi faut-il que vous soyez si délicieusement désirable pour sortir ensuite vos griffes sans crier gare ? Puisque vous ne semblez pas capable de vous décider, je vais le faire pour vous.

Sur ces mots, il s'empara de sa bouche avec passion. Elle se débattit malgré l'émoi que ce baiser suscitait en elle. Le fin tissu de sa chemise absorbait les gouttes d'eau qui imprégnaient encore le torse d'Adam. Une brise légère caressait ses jambes nues qui se dérobaient sous elle, tandis qu'il l'allongeait sur l'herbe sans délaisser ses lèvres.

Progressivement, la résistance de la jeune femme faiblit. Le désir qui embrasait son corps vint à bout de ses réticences et elle céda enfin à l'appel de ses sens.

Adam avait oublié le lasso qui emprisonnait Jillian. Il avait oublié sa douleur et sa colère. Il se laissait emporter par les délicieuses sensations que lui procuraient ce corps chaud et souple, étendu sous lui, cette bouche avide, aussi généreuse qu'exigeante. Le cœur de la jeune femme répondait aux battements effrénés qui résonnaient dans ses tempes.

D'une main fébrile, il défit les boutons de sa

chemise pour glisser ses doigts contre sa peau soyeuse, pour parcourir le galbe fragile de sa poitrine dont il emprisonna la pointe entre ses lèvres brûlantes. Jillian poussa un cri de plaisir tandis qu'une nouvelle vague de désir la submergeait.

Adam voulut la déshabiller totalement mais la chemise resta coincée au niveau de la taille de la jeune femme. Il réprima un juron et chercha à tâtons ce qui pouvait bien ainsi l'entraver. C'est alors que ses doigts rencontrèrent la surface rugueuse de la corde et qu'il prit conscience de la situation. Bon sang ! Que lui arrivait-il ? Il s'apprêtait à abuser d'une femme sans défense ! Rien ne pouvait justifier un tel acte.

Alors, il desserra le lien en se maudissant et libéra Jillian. Puis il la contempla en silence. Les lèvres de la jeune femme portaient encore l'empreinte de ses baisers. Entre ses paupières mi-closes, ses yeux embués de désir le fixaient sans le voir. Elle restait étendue, immobile, et de petits frissons faisaient, par moments, tressauter son corps.

— Je suis prêt à payer maintenant, dit-il en roulant sur le côté.

Oui, elle comprenait à sa mine honteuse qu'il lui offrait enfin sa vengeance. Il lui suffisait pour cela de se lever et de partir. Mais elle n'en avait pas la moindre envie. Alors, oubliant toute prudence, elle s'étendit sur lui. Leurs regards se croisèrent et ils restèrent un instant mutuellement fascinés par le désir qu'ils lisaient dans leurs yeux.

— Vous aurez affaire à moi, si vous n'achevez pas ce que vous avez commencé.

Elle glissa ses doigts dans sa chevelure épaisse

et emprisonna ses lèvres. Les pans de sa chemise tombèrent et ses seins nus effleurèrent la toison qui recouvrait le torse d'Adam. Un gémissement rauque s'échappa de sa gorge et se répercuta dans la bouche de la jeune femme. Alors, ils furent emportés par un tourbillon de passion qui balaya tout sur son passage. L'heure n'était plus à la réflexion mais à l'ivresse des sens et ils s'y abandonnèrent, corps et âme.

Après lui avoir ôté ses vêtements, Adam se débarrassa de son pantalon et se serra contre elle pour la prendre à témoin de l'ardeur de son désir. Un irrépressible frisson la secoua tout entière. Il bascula sur elle.

— Adam...

Mais les mots se muèrent en un long gémissement tandis que ses lèvres parcouraient son ventre soyeux pour venir s'abreuver à la source même de sa féminité. Elle crut sombrer dans un océan de bonheur, accéder à cette extase qu'elle n'avait encore jamais éprouvée. Pourtant, son plaisir redoubla quand il s'unit enfin à elle pour l'entraîner au paroxysme de cette fièvre sensuelle qui prélude à l'ultime explosion de joie.

Ils restèrent longtemps étendus en silence. La main sur le torse d'Adam, Jillian pouvait sentir son souffle court. Même après ce déchaînement de passion, ils ne parvenaient à trouver l'apaisement. Etait-ce toujours ainsi? Jillian n'avait jamais connu ce désir insatiable. Car elle le désirait encore, elle brûlait de revivre cet instant où son corps pantelant l'avait accueilli dans un spasme de joie.

Après toutes ces années passées à se prémunir contre tout attachement, elle tombait éperdument amoureuse d'un homme qu'elle connaissait à peine, un homme dont elle aurait dû se méfier. Et pourtant, elle avait confiance en lui... et c'est ce qui l'effrayait le plus. Entre ses bras, elle oubliait ses ambitions, son travail, ses responsabilités, pour n'être plus qu'une femme frémissante de passion.

Adam leva doucement la tête. Pour la première fois de sa vie, son assurance le quittait. Jillian avait fait vibrer en lui une corde dont il ne soupçonnait pas l'existence. Il savait qu'il ne pourrait plus se passer d'elle. Cependant, il renonçait à la garder de force.

— Jillian...

Il écarta les mèches encore mouillées qui barraient sa joue.

— Pourquoi notre relation est-elle si compliquée ?

— Je l'ignore...

Elle s'accorda encore quelques instants de faiblesse, attirant sa joue contre la sienne pour s'imprégner de son odeur.

— Il faut que je réfléchisse.

— A quoi ?

Elle ferma les paupières et hocha pensivement la tête.

— Je ne sais pas. Maintenant, laissez-moi partir, Adam.

Ses mains se refermèrent sur les cheveux de la jeune femme.

— Pour combien de temps ?

— Je ne le sais pas non plus. Il faut que je mette de l'ordre dans mes idées.

Il aurait été si facile de la retenir. Il lui aurait suffi pour cela de s'emparer de ses lèvres. Mais il se souvint du cheval sauvage, du mal qu'il avait eu à le capturer, du respect que lui inspirait sa

110

fierté indomptable. Alors, sans un mot, il la libéra.

Ils s'habillèrent en silence, tous deux beaucoup trop préoccupés pour se lancer dans de grands discours. Quand Jillian ramassa son chapeau, Adam lui prit le bras.

— Si je vous disais que ce qui vient de nous arriver représente pour moi beaucoup plus que je ne pensais, peut-être même que je ne voudrais, me croiriez-vous ?

Elle s'humecta les lèvres.

— Maintenant, oui. Mais, demain ? Il me faudra du temps avant de vous faire confiance.

Adam coiffa son couvre-chef dont l'ombre dissimula de nouveau son regard.

— J'attendrai. Mais vous savez que la patience ne constitue pas ma qualité principale.

Du doigt, il lui releva le menton.

— Si vous ne venez pas à moi, j'irai vous chercher.

Elle tenta d'ignorer le plaisir que lui procurait cette menace.

— Je vous préviens que je ne me laisserai pas facilement attraper.

Elle tourna les talons et détacha sa jument avant de l'enfourcher.

— Je ne miserais pas trop gros sur vos chances, répondit-il doucement.

Puis il se dirigea vers sa monture qui l'attendait, de l'autre côté de la ligne de partage.

Chapitre 7

« Si vous ne venez pas à moi, j'irai vous chercher. » Cette phrase restait gravée dans l'esprit
de Jillian. Et elle ne savait toujours pas quelle
attitude adopter. Elle avait éprouvé plus que de
la passion, ce soir-là au bord de l'étang, plus que
du plaisir. Elle aurait pu s'accommoder de ces
sentiments mais ce quelque chose en plus l'empêchait de dormir.

Si elle allait à lui, à quoi s'exposerait-elle ? A
une aventure qui promettait des rebondissements qu'elle n'était pas sûre de pouvoir maîtriser. A des dangers dont elle commençait seulement à mesurer l'ampleur. Elle avait bien du
mal à admettre qu'elle ait pu s'éprendre d'Adam
et encore plus à le comprendre.

Elle avait toujours cru que les gens tombaient
amoureux parce qu'ils en éprouvaient l'envie ou
le besoin. D'ailleurs n'en avait-elle pas, elle-
même, fait l'expérience quelques années plus
tôt ? Et voilà qu'elle était sur le point de succom-
ber aux élans de son cœur sans être prête à en
affronter les conséquences.

Si elle allait à lui... Le désir qu'il suscitait en
elle méritait-il qu'elle renonce à ses ambitions, à
ses responsabilités ? Si elle tombait amoureuse
de lui, serait-elle capable de supporter la douleur de leur rupture quand il déciderait de

112

reprendre son chemin solitaire ? Car elle ne doutait pas qu'une telle éventualité se produisît. A part Clay, aucun homme ne lui était resté fidèle. Elle avait tellement l'habitude de n'en faire qu'à sa tête que cette incertitude la rongeait. Et tandis que ces menaces pesaient sur sa vie privée, d'autres, tout aussi graves, obscurcissaient son horizon professionnel. Il lui manquait cinq cents bêtes. Plus aucun doute ne subsistait : elle était victime d'une bande organisée de voleurs de bétail.

Après avoir frappé à la porte, Joe Carlson fit irruption dans son bureau.

— Eh bien ?

— L'avion ne sera pas prêt avant la fin de la semaine.

Jillian poussa un soupir résigné.

— De toute façon, nos voleurs doivent être loin maintenant. Ils ont probablement conduit les bêtes au Wyoming.

— Peut-être pas. Cela constituerait un délit fédéral.

— En tout cas, à leur place, je n'aurais pas moisi dans la région. On ne peut pas cacher bien longtemps un troupeau de cette importance.

Elle se leva et passa ses doigts graciles dans ses cheveux. Cinq cents bêtes ! Ce chiffre exorbitant sonnait le glas de ses espoirs, de ses projets, de ses ambitions.

— Le shérif fait son possible, mais je crains que nous ayons été pris de vitesse. Oh ! Je hais ce sentiment d'impuissance !

— Jillian...

Visiblement embarrassé, Joe se tut un instant. D'interminables secondes s'égrenèrent, marquées par le tic-tac de l'horloge du grand-père de Jillian.

— Je crois de mon devoir de soulever la question, dit-il enfin en la fixant droit dans les yeux. Ne serait-il pas possible de dissimuler cinq cents bêtes si on les disséminait dans un troupeau de plusieurs milliers de têtes ?

— Exprimez-vous plus clairement, déclara-t-elle en lui jetant un regard glacial.

Malgré six mois passés à Utopia, Joe ressemblait beaucoup plus à un homme d'affaires qu'à un cow-boy. Et c'était l'homme d'affaires qui s'exprimait maintenant.

— Jillian, nous ne pouvons pas ignorer le fait que la brèche dans la clôture donne directement sur la propriété des Murdock.

— Je le sais parfaitement. Mais des barbelés sectionnés ne constituent pas pour moi une preuve suffisante.

Joe allait répondre mais il se ravisa quand il surprit son expression butée.

— Très bien.

Cette brusque soumission eut le don d'exacerber l'irritation de la jeune femme. Ses doutes, également.

— Adam m'a promis de procéder à un inventaire précis de son troupeau.

Son ton, plus que ses paroles, trahit son dilemme. Elle soutint le regard de Joe et crut y déceler une lueur de compassion.

— Mais bon sang ! Il n'a pas besoin de me voler mon bétail !

— Jillian, la perte que vous venez de subir réduit votre profit à néant. Encore un incident de ce genre et... il vous faudra songer à vendre du terrain. Ce qui arrangerait beaucoup les projets d'extension de certains.

Elle pivota sur elle-même et ferma les yeux. Bien sûr elle avait envisagé cette hypothèse mais elle s'était aussitôt reproché ses horribles soupçons.

— Si Adam s'intéressait à ma terre il m'en aurait fait part.

— Et vous lui auriez opposé un refus catégorique. On dit qu'il ambitionnait de monter son propre ranch voici quelques années. S'il y a renoncé, cela n'implique pas qu'il se contente de ce que son père lui laisse.

Jillian ne pouvait pas soutenir le contraire. Mais elle ne parvenait pas non plus à admettre la duplicité d'Adam.

— Le shérif mène son enquête. Ne vous en mêlez pas.

— Très bien, dit-il en se raidissant devant le ton tranchant de la jeune femme. Je retourne m'occuper de mes affaires puisque vous me le suggérez si gentiment.

— Joe, je suis désolée, murmura-t-elle tandis qu'il se dirigeait vers la porte. Je sais que vous ne pensez qu'au bien d'Utopia.

— Et au vôtre, Jillian.

— Je vous en suis profondément reconnaissante. Mais je dois régler cette affaire à ma façon.

— D'accord.

Il coiffa son chapeau dont il rabattit le rebord sur son front.

— N'oubliez pas que je suis à vos côtés !

— Je vous le promets.

Quand il fut parti, la jeune femme se mit à arpenter son bureau. Comme elle aurait aimé

115

s'en remettre à quelqu'un pour résoudre ces problèmes qu'elle avait vraiment envie de fuir! Cependant, elle ne pouvait se permettre la moindre faiblesse. Le ranch lui appartenait et toutes les responsabilités qui en découlaient lui incombaient.

Elle enfila ses gants de travail et ramassa son chapeau. Son devoir l'appelait. Même si on lui dérobait jusqu'à la dernière de ses bêtes, elle ne renoncerait pas. Il lui resterait la terre et cette détermination que lui avait léguées son grand-père.

Comme elle sortait de la maison, elle vit Karen Murdock se garer devant le porche. Surprise, elle hésita un instant, puis se décida à aller à sa rencontre.

— Bonjour. J'espère que ma visite ne vous importune pas.

— Pas le moins du monde.

Elle ne put s'empêcher d'admirer l'élégance de la mère d'Adam.

— Je suis ravie de vous revoir, madame Murdock.

— Mais je constate que je tombe mal! dit cette dernière en avisant les gants de travail de la jeune femme.

— Pas du tout.

Jillian rangea les gants dans la poche arrière de son jean.

— Puis-je vous offrir une tasse de café?

— Avec plaisir.

Karen suivit Jillian dans la maison.

— Voilà bien longtemps que je n'avais mis les pieds ici. Je venais souvent voir votre grand-mère. Nos deux maris étaient, bien sûr, parfaitement au courant de ces visites mais nous pre-

116

nions garde de ne jamais aborder le sujet. Que pensez-vous de nos vieilles rivalités, Jillian ?

Dans d'autres circonstances, le ton malicieux de Karen aurait déclenché les rires de la jeune femme. Mais il ne lui soutira qu'un faible sourire.

— Mon opinion s'est sensiblement modifiée ces derniers temps.

— J'en suis enchantée.

Karen prit place à la table de cuisine tandis que Jillian mettait l'eau à chauffer.

— J'ai bien peur que Paul ne vous ait prise à rebrousse-poil, l'autre jour. Je dois vous avouer qu'il adore provoquer les gens. Votre réaction a constitué l'événement de sa journée.

— Alors, Clay lui ressemble plus que je ne le croyais, déclara la jeune femme en souriant.

— Ils sortent du même moule. Mais il n'y en a pas beaucoup comme eux, murmura-t-elle. Jillian, j'ai entendu parler de vos difficultés. Sachez que j'en suis profondément navrée. Si je peux vous aider, surtout n'hésitez pas à me le demander.

Jillian se tourna vers la cafetière et haussa les épaules.

— Nous courons tous ce genre de risques. Le shérif fait ce qu'il peut.

— Nous sommes effectivement, les uns et les autres, exposés à ce genre de dangers, reprit Karen en écho.

Elle s'interrompit et hésita un instant avant d'aborder un sujet qu'elle savait délicat.

— Jillian, Adam m'a parlé de cette clôture sectionnée...

— Rassurez-vous, je ne le soupçonne pas. Je ne suis pas idiote à ce point.

Non, pensa Karen en scrutant son profil régulier. Vous êtes loin d'être bête.

— Il se fait beaucoup de soucis pour vous.

— Il a tort. Je suis assez grande pour régler mes problèmes moi-même.

— Alors, vous ne voulez aucune aide ? s'enquit Karen d'un ton égal.

Jillian remplit les tasses, puis reposa la cafetière avec un soupir.

— Je ne voulais pas vous froisser. Vous savez, diriger un ranch n'est pas une entreprise de tout repos, surtout pour une femme. Il faut être deux fois plus forte parce que nous vivons dans un monde d'hommes. Je ne peux pas me permettre de craquer.

— Qui vous parle de craquer ? Nous sommes entre femmes et vous n'avez rien à prouver.

Jillian observa Karen par-dessus le rebord de sa tasse et comprit qu'elle lui offrait sa solidarité féminine. Alors, elle se laissa enfin aller aux confidences.

— J'ai terriblement peur, murmura-t-elle. J'ai tellement misé sur l'année en cours, je joue tellement gros ! Bien sûr, la perte que je viens de subir ne suffira pas à me couler mais je risque d'avoir beaucoup de mal à m'en remettre.

Karen lui prit la main.

— On retrouvera vos bêtes.

— Le ciel vous entende !

Elle se laissa, un instant, bercer par le réconfort que lui offrait Karen. Puis, retirant sa main, elle déclara :

— Quoi qu'il arrive, je reste propriétaire d'Utopia. Et je dois veiller à préserver ce que Clay m'a légué. Il ne faut pas que je trahisse sa confiance.

118

— Pour lui ou pour vous-même?

— Pour nous deux. J'ai une dette envers lui. Non seulement pour la terre mais également pour tout ce qu'il m'a appris.

— Toutefois, il ne faut pas que vous laissiez la terre vous détruire. Paul hurlerait s'il m'entendait parler ainsi, mais je pense sincèrement que quelques arpents de pâturage ne valent pas ce sacrifice.

— Je ne possède rien d'autre.

— Vous plaisantez!

Puis, devant le mutisme de la jeune femme, elle reprit :

— Non, je vois que vous le croyez sincèrement. Mais vous vous trompez. Même si vous perdiez jusqu'au dernier brin d'herbe de ce domaine, vous créeriez autre chose. Vous en avez la force, le courage, tout comme Adam.

— Adam a toujours eu des possibilités qui me manquent...

Incapable de rester en place, la jeune femme se leva pour se servir une tasse de café.

— Vous faites allusion à ses activités à Billings!

Pendant un instant, Karen se tut comme pour peser le pour et le contre avant de s'exprimer.

— Il s'y est rendu sur ma requête et sur celle de son père, dit-elle enfin. J'espère ne plus jamais avoir à lui demander un tel service.

— Je ne comprends pas.

— Quand Adam revint de l'université, Paul lui proposa de travailler au ranch pendant trois ans avant d'en prendre la direction.

— C'est ce que j'ai entendu dire. Je suppose qu'il n'est pas facile de renoncer à l'œuvre d'une vie entière, même au profit de son propre fils.

— Mais Paul l'aurait peut-être fait si...

Elle ponctua sa phrase d'un geste évasif.

— Quand il refusa de remplir sa part du marché, Adam rentra dans une rage folle. Il menaça de partir au Wyoming pour créer son propre ranch.

— Mais il n'a pas mis son projet à exécution.

— Non. Je l'en ai dissuadé. Je venais d'apprendre que Paul était atteint d'une maladie incurable. Les médecins ne lui donnaient plus que deux ans à vivre. Lui qui avait triomphé de tous les obstacles était vaincu par la maladie, trahi par son propre corps.

Jillian se souvint du regard perçant de Murdock et de ses mains tremblantes.

— Je suis désolée.

— Il voulait que personne ne sache, même pas Adam. Mais si Adam était parti comme il en avait l'intention, Paul aurait cessé de lutter, j'en suis persuadée. Et Adam n'aurait pas supporté de se sentir responsable de la mort de son père. Alors je lui ai tout avoué.

Elle poussa un long soupir.

— Je lui ai demandé de renoncer à son projet. Il a accepté de se rendre à Billings. Bien qu'il ait toujours prétendu avoir agi pour moi, je suis sûre qu'il l'a fait pour son père. Et je peux affirmer, sans être médecin, qu'il a prolongé de cinq ans la vie de Paul.

Jillian sentit sa gorge se nouer.

— J'ai porté contre lui d'horribles accusations.

— Et vous n'êtes pas la première. Adam savait très bien à quoi il s'exposait en acceptant, mais il se moque éperdument de ce que les gens pensent ou disent. Enfin la plupart, rectifia-t-elle.

120

— Et je ne peux pas m'excuser. Il serait furieux s'il apprenait que je suis au courant.

— Vous le connaissez bien.

— Non, s'écria la jeune femme. Je ne le connais pas, je ne le comprends pas et...

Elle s'interrompit, stupéfaite de dévoiler ainsi ses sentiments à Karen Murdock.

— Oui, je suis sa mère, dit-elle comme si elle parvenait à lire dans son regard. Mais je n'en suis pas moins femme. Et je n'ignore pas ce qu'il en coûte de s'éprendre d'un homme doué d'une telle force de caractère.

Cette fois, elle ne pesait plus ses mots mais s'exprimait en toute franchise.

— Je n'avais pas vingt ans quand j'ai rencontré Paul. Il en avait quarante. Les gens le prenaient pour un fou et me soupçonnaient d'en avoir après son argent.

Elle éclata de rire, puis se renversa contre le dossier de sa chaise avec un petit soupir.

— Mais il y a trente ans, je n'étais pas sensible à l'humour de la situation. Je ne veux pas vous assommer de conseils mais simplement vous offrir mon soutien, si vous l'acceptez.

Jillian contempla un instant ce beau visage que le temps avait épargné, ce regard qui exprimait un mélange de douceur et de volonté.

— Je ne sais pas si je dois.

— Pouvez-vous ignorer une main tendue ?

La jeune femme sourit et emprisonna la paume de Karen.

— Non.

— Parfait. Vous êtes très occupée, je vais donc vous laisser. Et surtout, n'hésitez pas à m'appeler si vous éprouvez le besoin de vous confier à une autre femme.

— Je vous le promets, merci.

Karen secoua la tête.

— Mon offre n'est pas désintéressée. Voilà bien longtemps que je vis dans un monde trop masculin.

Elle effleura du doigt la joue de Jillian.

— Ma fille me manque beaucoup.

Debout sur la véranda de sa maison, Adam contemplait la lune. La nuit était si calme qu'il entendit le battement d'ailes d'un faucon qui s'apprêtait à fondre sur sa proie. De temps en temps, il portait à ses lèvres une bouteille de bière glacée mais ne parvenait pas à en apprécier la saveur. L'attente commençait à lui peser. Une semaine entière s'était écoulée depuis sa dernière et délicieuse entrevue avec Jillian. Depuis, il ne se passait pas une journée sans qu'il pense à elle, qu'il brûle de combler le vide douloureux qu'elle lui avait brutalement révélé. Non seulement il se rendait compte qu'il éprouvait pour elle des sentiments qu'aucune autre femme ne lui avait inspirés, mais encore il avait pris conscience de sa propre vulnérabilité...

Elle pouvait le faire souffrir. Elle le faisait souffrir. Et bien qu'il n'ait pas encore trouvé le moyen de se protéger, il continuait à la désirer.

Elle se méfiait de lui. Il aurait tant aimé qu'elle lui accordât sa confiance, même s'il avait prétendu le contraire. Il aurait tant voulu pouvoir l'aider. Elle devait vivre un véritable enfer. A cette pensée, sa main se crispa sur la bouteille. Mais Jillian refusait de venir à lui, de lui confier ses problèmes. Il était grand temps d'agir, que cela lui plaise ou non.

Soudain, impatient, il dévala les marches du

perron mais s'immobilisa en entendant une voiture approcher. Il scruta la nuit en direction du bruit. Bientôt, deux phares percèrent les ténèbres. Sa curiosité première se mua en une douloureuse tension qui lui noua les épaules. Il posa sa bière sur la rambarde de l'escalier et vit Jillian sortir du véhicule pour se diriger vers lui. Malgré le tumulte de ses émotions, il parvint à réprimer une violente envie de se précipiter à sa rencontre pour la prendre dans ses bras.

Jillian avait espéré que le trajet en voiture viendrait à bout de sa nervosité. Erreur ! Elle avait la gorge aussi sèche qu'après le départ de la mère d'Adam. Depuis, elle n'avait cessé de penser à lui. Elle s'était finalement décidée à l'affronter en espérant que cette confrontation la libérerait de son obsession. Pourtant, en agissant ainsi, elle renonçait déjà à son indépendance.

— Je commets une grave erreur, déclara-t-elle.

Accoudé à la rampe, Adam l'observait, immobile.

— Vous croyez ?

— J'ai déjà suffisamment de problèmes sans chercher de nouvelles complications.

Si elle était pâle, sa voix ne trahissait pas la moindre frayeur.

— En tout cas vous avez mis du temps à vous décider, dit-il, faussement désinvolte.

Il dut serrer les poings pour résister à la tentation de la toucher.

— Je ne serais pas venue si j'avais pu m'en empêcher.

— Ah, oui ?

Il ne s'attendait pas à un tel aveu de faiblesse et il en éprouva une profonde joie.

123

— Eh bien! Puisque vous voilà, si vous approchiez un peu.

Jillian comprit qu'il ne ferait rien pour lui faciliter la tâche. Alors, sans le quitter des yeux, elle s'avança jusqu'à l'effleurer.

— Suis-je assez près?

Il scruta son visage, puis sourit.

— Non.

Jillian lança les bras autour de son cou et lui offrit ses lèvres.

— Et maintenant?

— Pas encore...

La main d'Adam vint se poser au bas de ses reins, puis remonta lentement le long de son dos pour s'enfouir dans ses cheveux. Ses yeux brillaient au clair de lune, pleins de triomphe, de gaieté et de passion.

Il la serra contre lui et elle sentit ses muscles comprimer ses formes souples tandis que les battements effrénés de son cœur résonnaient contre sa poitrine. Alors, leurs bouches s'unirent et Jillian donna libre cours aux émotions qui la harcelaient depuis des jours. Mais au lieu de l'atténuer, cette brusque bouffée d'air attisa la flamme qui la consumait. Un frisson de plaisir courut sur la peau d'Adam. Il emprisonna sa nuque pour prolonger ce baiser brûlant jusqu'à en perdre le souffle. Puis il la souleva dans ses bras.

— Adam!

Mais sa bouche avide la bâillonna de nouveau tandis qu'ils atteignaient la porte d'entrée. Sans relâcher son fardeau, il parvint à l'ouvrir et à la claquer derrière lui d'un coup de pied. Malgré l'admiration que lui inspirait sa force, elle ne put s'empêcher de pouffer.

124

— Je peux marcher, vous savez.

— Je ne vois vraiment pas comment puisque vos pieds ne touchent pas le sol, rétorqua-t-il en se dirigeant vers l'escalier.

— Est-ce ainsi que vous exprimez votre supériorité masculine ?

— Non, j'agis ainsi par pur romantisme.

— Bien répondu. Mais je voulais seulement vous faire comprendre que je ne suis pas venue vous voir pour votre supériorité ni votre romantisme.

Adam haussa un sourcil intrigué. Malgré le ton léger de la jeune femme, il avait décelé la sincérité de ses paroles. Ils pénétrèrent dans la chambre et il la déposa à terre.

— Vous avez quelque chose contre le romantisme ?

— Ce n'est pas ce que j'attends de vous, parvint-elle à dire tandis qu'il l'attirait de nouveau vers lui.

— Dommage.

Il pressa délicatement ses lèvres contre son oreille.

— Il va falloir que vous vous en accommodiez.

Déjà, sa bouche errait voluptueusement sur sa gorge.

— Quand vous relevez le menton avec cet air supérieur, on a du mal à croire que vous puissiez être si douce, si fine, si soyeuse.

Au contact de ses lèvres brûlantes, la jeune femme sentit ses jambes se dérober sous elle. C'est exactement ce qu'Adam espérait : provoquer en elle cette délicieuse faiblesse, cet abandon que lui-même éprouvait.

Il s'empara de nouveau de sa bouche, se délecta de son goût sucré. Le pouls de la jeune

125

femme battait contre sa paume. Il ne se hâterait pas pour la dévêtir et se promettait ainsi un immense plaisir.

Doucement, il la poussa vers le lit, puis la relâcha pour lui permettre de s'asseoir sur le rebord. Les yeux de Jillian, éclairés par un rayon de lune, étaient déjà embués de désir. Sans quitter son regard, il suivit du doigt la courbe de son visage, l'arc gracieux de son cou pour atteindre sa chemise dont il défit les boutons, un à un. Alors, il s'interrompit pour glisser sa main contre sa peau nue.

Sans hâte, il lui ôta ses derniers vêtements et Jillian n'émit aucune protestation. Quand il se tourna vers elle, il comprit, à son sourire, qu'elle acceptait bien volontiers les règles du jeu. Alors, il s'installa à son tour sur le lit et tendit une jambe bottée.

— A vous de jouer.

La jeune femme se leva pour lui obéir. Son corps s'embrasait sous le feu de son regard mais son esprit restait lucide. Quand elle avait pris la décision de venir, elle s'était juré de lui damer le pion. Puisqu'elle ne parvenait pas à le chasser de ses pensées, elle allait céder aux injonctions de ses sens, satisfaire ce désir irrépressible qu'il lui inspirait. Mais son cœur n'y prendrait nulle part. Leurs relations se borneraient au simple plaisir physique. N'est-ce pas ce qu'Adam lui-même souhaitait ?

Quand sa deuxième botte heurta le sol, il l'attrapa par la taille et la fit basculer sur le lit avec lui.

— Vous êtes un dur de dur ! s'exclama-t-elle en riant. Avez-vous l'habitude de brutaliser ainsi les femmes ?

— Je n'ai aucun souvenir...

Il pencha son visage vers elle et effleura ses lèvres en réprimant l'envie vorace de les happer.

— J'aime votre bouche, murmura-t-il. Si ferme et si sensuelle à la fois !

Elle ferma les yeux pour lutter contre la douce torpeur qui l'envahissait à nouveau. Elle sentit les doigts d'Adam parcourir son corps tandis qu'il déposait une myriade de baisers sur son cou, sa gorge, ses seins, la privant de toute pensée cohérente.

— Je veux sentir votre peau nue contre la mienne, murmura-t-il dans son oreille. Otez-moi ma chemise.

Elle accéda à sa requête d'une main tremblante. Il lui sembla que l'action se déroulait au ralenti, tellement l'attente de ce délicieux contact lui parut longue. Quand elle plaqua enfin sa poitrine frémissante contre son torse rugueux, elle crut défaillir de bonheur. Leur première étreinte ne lui avait pas laissé le loisir d'admirer ce corps viril.

Ses muscles noueux, ses attaches puissantes, son teint hâlé, témoignaient de sa vie au grand air et, sans qu'elle sache pourquoi, cette constatation lui procura un surcroît de plaisir. Mais elle ne put approfondir la question car la bouche d'Adam avait repris son enivrant manège.

Il n'aurait jamais imaginé qu'on puisse ainsi se délecter du plaisir d'un autre. Il brûlait de satisfaire son désir, de s'emparer de ce corps voluptueusement offert. Et pourtant, il puisait dans cette insoutenable attente un bonheur ineffable.

La peau de Jillian était douce et laiteuse. Ses mains ne se lassaient pas de parcourir cette texture soyeuse. Il sentait courir sous sa paume les frissons de désir qui, par vagues successives, ébranlaient son corps. Audacieusement, il s'aventura à l'ombre moite de sa féminité.

La jeune femme se cambra, avide, exigeante, mais il refusa de brûler les étapes. Il ne pouvait se lasser de ce corps de déesse. Jillian ne comprenait pas la fascination qu'elle exerçait sur lui. Elle s'était toujours jugée trop grande, trop mince. Mais les louanges dont il l'abreuvait démentaient cette piètre opinion qu'elle avait d'elle-même.

Quand sa bouche se substitua à ses doigts pour prolonger la caresse, elle sentit monter en elle ce bouillonnement impétueux qui précède l'instant sublime.

Mais Adam ne la laissa pas franchir seule les sommets du bonheur extatique. Il attendit que son plaisir reflue, reprit inlassablement ses caresses, puis sentit qu'elle ne pourrait plus en supporter davantage.

— Maintenant...

Il dut ravaler sa salive tant l'émotion lui nouait la gorge.

— Maintenant, dites-moi que vous me désirez.

— Oui.

Elle referma ses bras et ses jambes autour de son corps brûlant.

— Oui, maintenant je vous désire.

Un éclair traversa le regard d'Adam et, d'un puissant mouvement de reins, il s'unit enfin à elle. Jillian crut sombrer dans un gouffre sans fond. Mais il lui restait encore un délicieux chemin à parcourir.

Chapitre 8

Ce fut l'odeur de ses cheveux qui le ramena à la réalité. Il y avait enfoui son visage et humait avec délices ce parfum suave qui lui rappelait les bouquets de fleurs sauvages que sa mère disposait dans un petit vase en porcelaine sur la cheminée du salon. Le contact des mèches soyeuses était si doux contre sa joue qu'il aurait pu passer la nuit ainsi.

Toujours étendue sous lui, elle restait parfaitement immobile. Sa respiration était si régulière qu'il crut un instant qu'elle s'était endormie. Mais, quand il chercha ses lèvres, elle accrut la pression de ses bras autour de son cou. Alors, il redressa la tête et chercha son regard.

Ses paupières lourdes, à demi fermées, étaient cernées de mauve. Il l'avait remarqué dès qu'elle s'était approchée de lui sous le porche mais il n'avait pas eu le loisir de lui en parler. Fronçant les sourcils, il déclara :

— On dirait que vous manquez de sommeil.

Surprise par cette remarque, elle leva les yeux vers lui. Après le bonheur qu'ils venaient de connaître ensemble, elle ne s'attendait certainement pas à ce genre de réflexion. Mais sans trop qu'elle sache pourquoi, cette étrange sollicitude l'amusa.

— Je vais très bien, dit-elle en souriant.

— Non, affirma-t-il en soulevant son menton. C'est faux.

Elle le fixa en silence, étonnée de la soudaine envie qu'elle éprouvait de lui confier ses soucis, ses craintes, ses pensées. Comme elle aurait aimé pouvoir se laisser réconforter par sa mâle assurance, se reposer sur la solide épaule qu'il semblait lui offrir! Mais elle n'avait que trop cédé à ce genre de facilité quand elle vivait avec sa mère. De plus, elle estimait qu'on ne devait pas montrer à un homme les faiblesses que seule une autre femme pouvait comprendre. À l'aube, ils seraient de nouveau rivaux et la ligne de partage qu'ils avaient abolie, l'espace d'une nuit, se dresserait une nouvelle fois entre eux.

— Adam, je ne suis pas venue ici pour...

Il ne la laissa pas poursuivre.

— Je sais pourquoi vous êtes venue. Parce que vous ne pouviez pas vous en empêcher. Et je vous comprends très bien. Maintenant, il va falloir que vous en assumiez les conséquences.

En raison de sa nudité et de la chaude proximité d'Adam elle eut bien du mal à se draper dans sa dignité, mais elle y parvint presque.

— Quelles sont-elles ?

La gravité du regard d'Adam fit place à une lueur amusée.

— J'aime beaucoup la façon dont vous posez la question. On croirait entendre une maîtresse d'école qui interroge l'élève au tableau.

— C'est un des rares talents que je tiens de ma mère. Mais vous n'avez pas répondu, Murdock.

— Bien, madame. Je suis fou de vous, lança-t-il, ravi de l'effet que cette déclaration imprévue produisait sur la jeune femme. Et je suis convaincu que ce sentiment est réciproque, même si vous refusez de vous l'avouer. D'ailleurs, je me propose de vous y aider.

— Vous ne pouvez rien pour moi.

En guise de commentaire, il s'allongea sur le dos, l'attira contre lui. Elle se raidit. Mais la chaleur du corps d'Adam eut bien vite raison de ses réticences et elle se détendit.

Il le sentit. Pourtant, il s'abstint d'en faire la remarque. S'il voulait obtenir sa confiance, il devait à tout prix éviter de l'effaroucher.

— Où en sont les recherches ?

— Non, je ne veux pas vous mêler à ça.

— Mais je suis déjà concerné. Cette clôture m'appartient autant qu'à vous.

L'argument fit mouche. Jillian ferma les yeux.

— Nous avons effectué un inventaire précis du troupeau. Il nous manque cinq cents têtes. Par précaution, nous nous sommes empressés de marquer les veaux qui nous restaient. Le shérif poursuit son enquête.

— Quelles sont ses premières conclusions ?

Elle haussa les épaules.

— Impossible de localiser les bêtes. Si les voleurs ont sectionné d'autres barbelés pour mettre leur butin à l'abri, ils ont soigneusement effacé toute trace d'effraction.

— Je trouve tout de même étrange qu'ils n'aient pas pris la peine de réparer la première clôture.

— Peut-être n'en ont-ils pas eu le temps.

— Ou peut-être souhaitaient-ils diriger les soupçons sur moi ?

— Possible.

Elle enfouit le visage au creux de son épaule. L'espace d'un instant seulement, mais pour elle ce geste constituait un témoignage de confiance.

— Adam, je ne pensais pas les choses que j'ai dites sur vous et votre père.

— Oublions ça.

Elle redressa la tête et scruta son regard.

— Je n'y arrive pas.

Il posa sur ses lèvres un baiser sonore.

— Faites un effort, suggéra-t-il. Il paraît que vous avez acheté un avion ?

— Oui.

Elle se blottit de nouveau contre lui et tenta de mettre de l'ordre dans ses idées.

— Mais j'ai peur qu'il ne soit pas prêt avant la semaine prochaine.

— Utilisons le mien.

— Pourquoi...

— Je n'ai rien contre le shérif. Je pense simplement que vous connaissez votre domaine mieux que lui.

Jillian pinça les lèvres.

— Ecoutez, Adam, je ne veux pas avoir de dettes envers vous. C'est difficile à expliquer mais...

— Alors n'essayez pas.

Il empoigna doucement sa chevelure pour l'obliger à le regarder en face.

— Je ne suis pas du genre à me préoccuper de ce que vous voulez et de ce que vous ne voulez pas. Tenez-vous-le pour dit. Vous pouvez vous opposer à moi, parfois même me vaincre, mais vous ne m'arrêterez jamais.

Les yeux de la jeune femme pétillèrent.

— Pourquoi me provoquer quand j'essaye d'être gentille ?

D'un brusque coup de reins, il bascula sur elle.

— Je vous trouve beaucoup plus dangereuse quand vous vous radoucissez.

Elle redressa le menton.

— Rassurez-vous, cela ne se reproduira pas.

— Parfait, dit-il avant de s'emparer de ses lèvres. Vous restez avec moi, cette nuit.

— Il n'en est pas...

Il ne lui laissa pas le temps de terminer sa phrase et son baiser brûlant vint à bout de sa résistance.

— Cette nuit, répéta-t-il avec un rire qui exprimait plus le défi que la gaieté, je vous garde près de moi.

Et il l'entraîna de nouveau dans cet univers magique où les mots n'ont plus cours et où la raison cède la place aux sens.

Un joyeux trille la tira de son sommeil. A cette époque de l'année, le soleil se levant très tôt, elle s'éveillait au chant des oiseaux. Avec un soupir plaintif, elle se retourna dans les draps pour s'accorder ces quelques minutes de sommeil supplémentaires qui lui donnaient l'impression de faire la grasse matinée, même quand elle se levait à l'aube.

A demi endormie, elle passa en revue le programme de la journée. Puis elle s'étira paresseusement. C'est alors qu'elle se rappela où elle se trouvait : dans la chambre d'Adam ! Ainsi, il avait finalement obtenu ce qu'il voulait ! Elle avait perdu la partie.

Etendue sur le dos, elle se remémora les événements de la nuit avec un mélange d'émotion et de gêne. Jamais auparavant elle n'avait partagé avec un homme cet abandon, cette douce chaleur, cette délicieuse insouciance que procure le sommeil. Comment avait-elle pu s'imaginer un seul instant qu'elle pourrait avoir une aventure avec Adam et garder la tête froide ?

Pourtant, elle ne l'aimait pas. Elle tendit la main pour caresser la partie du lit où il avait dormi. Non, elle n'était pas assez folle pour s'éprendre de lui. Elle ferma les yeux et son poing se crispa sur le drap. Oh, mon Dieu ! Pourvu que ce soit vrai !

Le chant d'un oiseau attira son attention. Le soleil, déjà haut, dardait ses rayons dans la pièce. La jeune femme prit conscience qu'il devait être horriblement tard. Mais que faisait-elle encore au lit ? Elle se redressa, furieuse contre elle-même et, juste à ce moment, la porte s'ouvrit sur Adam qui apportait un pot de café fumant et deux tasses.

— Dommage ! Moi qui espérais vous réveiller...

— Il faut absolument que je rentre, dit-elle en rejetant ses cheveux en arrière. Je devrais être debout depuis des heures.

Elle allait se lever mais il l'en empêcha d'un geste.

— Et moi, je dis que vous devriez dormir jusqu'à midi.

— Je vous rappelle que je dirige un ranch.

— Votre ranch peut très bien se passer de vous une journée.

Il s'assit à ses côtés et lui mit d'autorité une tasse dans la main.

— Buvez votre café.

Son ton péremptoire aurait pu la hérisser mais le délicieux arôme du café se révéla plus persuasif.

— Quelle heure est-il ? s'enquit-elle entre deux gorgées.

134

— Neuf heures passées de quelques minutes.

— Oh ! Il faut absolument que je rentre.

De nouveau, Adam l'empêcha de quitter le lit.

— Buvez votre café !

Après une brève et vaine lutte, Jillian lui lança un regard exaspéré.

— Cessez de me traiter comme une enfant de huit ans !

Il parcourut des yeux sa mince silhouette dont les draps révélaient les formes gracieuses.

— Attention, je vais vous prendre au mot.

— Soyez sage, Murdock ! ordonna-t-elle sans parvenir à réprimer un sourire. Ecoutez, j'apprécie beaucoup vos charmantes attentions, mais je ne peux pas me prélasser jusqu'à midi.

— Depuis combien de temps n'avez-vous pas dormi huit heures consécutives ?

Incapable de répondre, elle se contenta de boire son café avec un air buté.

— Je vous aurais bien laissée dormir tout votre saoul la nuit dernière, si vous ne m'aviez pas... disons distrait.

— Parce que c'est moi qui vous ai distrait ?

— Oui, et à plusieurs reprises.

Il avait lancé cette phrase par jeu mais il comprit au regard de la jeune femme qu'elle le prenait au sérieux. Etait-il possible qu'elle ait besoin d'être rassurée après ce qu'ils venaient de vivre ? Comment pouvait-elle être à la fois si dure et si vulnérable ? Il se pencha pour effleurer ses lèvres mais se garda bien de prolonger le baiser par crainte de ce qui ne manquerait pas d'arriver.

— Je reconnais que vous n'avez pas eu à vous donner beaucoup de mal, murmura-t-il.

135

Ses lèvres se posèrent sur son cou comme malgré lui.

— Je suis en votre pouvoir. Il vous suffit...

— Je... je crois que je me montrerai magnanime, aujourd'hui.

— Eh bien !...

Il saisit le drap entre le pouce et l'index et le tira lentement vers lui.

— Je n'ai que faire de votre pitié.

— Adam !

Jillian referma les bras sur le tissu soyeux qui avait glissé sur sa peau.

— Il est neuf heures du matin !

— Probablement un peu plus maintenant.

Quand il se rapprocha d'elle, elle plaça sa tasse contre sa poitrine comme pour s'en protéger.

— Il faut que je compte mes bêtes, que je vérifie les clôtures. Vous aussi, d'ailleurs.

Et je dois en plus veiller sur une charmante jeune femme, pensa-t-il, mais il se garda bien de le confier à la jeune femme en question.

— Parfois...

Il s'interrompit pour déposer un baiser sur sa joue.

— ... Vous n'êtes pas drôle, Jillian.

Elle vida sa tasse en riant.

— Si vous sortiez pour que je puisse me doucher et m'habiller ?

— Qu'est-ce que je disais ?

Il se leva tout de même et ajouta :

— Je vous prépare le petit déjeuner.

Elle allait protester mais il l'en empêcha.

— Et nous laisserons les chevaux à l'écurie. Aujourd'hui, nous prenons l'avion.

— Adam, vous avez suffisamment de soucis sans vous occuper de mes problèmes.

Il passa les pouces dans sa ceinture et la fixa si longtemps qu'elle finit par froncer les sourcils.

— Pour une femme de tête, vous manquez singulièrement de jugeote. Vous devriez savoir que le vol de bétail concerne tous les éleveurs.

Elle constata à la soudaine froideur de son ton qu'il était fâché.

— Je ne vous comprends pas.

— C'est bien là le malheur! dit-il en poussant un soupir qui pouvait aussi bien exprimer la résignation que la contrariété.

Comme il se dirigeait vers la porte, Jillian l'interpella :

— Adam, je...

Elle ne savait même plus ce qu'elle voulait lui dire. Ah, oui !

— Il faut que je passe au ranch pour prévenir Jim.

— J'ai déjà envoyé quelqu'un l'avertir.

Il s'arrêta, puis se tourna lentement vers elle.

— Il sait que nous sommes ensemble.

— Il sait... vous avez envoyé... balbutia-t-elle, les doigts crispés sur l'anse de sa tasse. Vous avez envoyé quelqu'un lui dire que j'ai passé la nuit chez vous ?

— Absolument.

Elle passa une main dans ses cheveux que le soleil irisait de reflets vermeils.

— Mais que va-t-on penser ?

— La vérité, rétorqua-t-il, imperturbable. Désolé, je n'avais pas l'intention de vous compromettre.

— Adam...

Mais il avait déjà refermé la porte.

Jillian faillit lancer sa tasse contre le battant de bois mais se contenta de la reposer rageusement. Elle maudissait sa maladresse. Pourquoi ne comprenait-il pas qu'elle ne craignait pas pour sa réputation mais pour sa sécurité ? Après tout, peut-être était-ce mieux ainsi.

Adam jeta deux tranches de bacon dans la poêle d'un geste furieux. Mais il ne devait s'en prendre qu'à lui-même. Pourquoi s'était-il laissé dépasser par les événements ? Jillian n'éprouvait pour lui qu'une simple attirance physique. Et les choses auraient dû en rester là. Mais il s'était laissé emporter par des sentiments qu'elle ne partagerait probablement jamais. Pouvait-il lui en tenir rigueur ?

Depuis quand cherchait-il des attaches ? se demanda-t-il en retournant le bacon d'un violent coup de fourchette. Depuis quand attendait-il d'une femme, de n'importe quelle femme, autre chose qu'une compagnie agréable, un peu de compréhension et une complicité charnelle ? Allons, il n'était pas trop tard pour se ressaisir !

Il se versa une tasse de café noir qu'il avala d'un trait. Il n'allait tout de même pas perdre la tête pour une aguicheuse qui ne cherchait qu'une aventure sans lendemain ! Après tout n'était-ce pas justement ce qu'il espérait obtenir d'elle ? Mais il s'était laissé émouvoir par ses problèmes et le courage avec lequel elle les affrontait.

Le breuvage brûlant le réconforta. Quelque peu rassuré, il prit des œufs dans le réfrigérateur. Oui, il ferait son possible pour l'aider, partagerait son lit aussi souvent qu'ils le désireraient, et là s'arrêteraient leurs relations.

Quand elle pénétra dans la pièce, il lui jeta un

coup d'œil par-dessus son épaule. Ses cheveux mouillés encadraient de boucles luisantes son visage à l'ovale parfait où brillaient ses prunelles émeraude, ourlées de longs cils drus et recourbés. Oh, bon sang! Pourquoi se leurrer? Il l'aimait. Mais qu'allait-il devenir?

Elle s'apprêtait à louer ses talents culinaires mais, quand elle surprit son regard, elle s'interrompit. Il la fixait comme s'il la découvrait pour la première fois et son insistance la mit mal à l'aise.

— Quelque chose ne va pas?

— Pardon?

Il paraissait tellement abasourdi qu'elle ne put s'empêcher de sourire.

— Je vous demandais ce qui n'allait pas. On dirait que vous venez d'assister à une apparition.

Il se maudit intérieurement et lui tourna le dos.

— Comment voulez-vous vos œufs?

— Au plat.

Elle s'avança vers lui, puis hésita. Les manifestations de tendresse n'étaient pas son fort. Elle s'était trop brûlé les ailes. Rassemblant tout son courage, elle traversa la pièce et posa la main sur son épaule. Il se raidit. Alors elle retira sa main.

— Adam...

Comme elle contrôlait bien sa voix! Depuis son plus jeune âge, elle était passée maître dans l'art de dissimuler ses émotions.

— Je ne sais pas accepter qu'on m'aide.

— Je l'ai remarqué.

Pourquoi éprouvait-elle cet étrange picotement au coin des paupières? Pauvre imbécile! Ne sais-tu donc pas qu'on ne doit jamais afficher ses sentiments! Pourtant, au prix d'un grand

139

effort, elle parvint à surmonter son orgueil et se
décida à parler.

— Je tiens pourtant à vous dire que votre offre
me touche beaucoup. Merci.

L'émotion nouait la gorge d'Adam. Il cassa un
œuf qui se répandit en grésillant dans la poêle.

— Il n'y a pas de quoi.

Aussitôt Jillian battit en retraite. Mais qu'espérait-elle donc ? Personne ne lui avait jamais
manifesté la moindre tendresse. Pourquoi lui en
inspirerait-elle ? D'ailleurs, elle n'en voulait pas.

— Très bien, dit-elle, désinvolte.

Elle se servit une nouvelle tasse de café.

— Vous ne mangez pas ?

— J'ai déjà pris mon petit déjeuner.

— Je ne voudrais pas vous distraire de votre
travail. Pourquoi ne demandez-vous pas à un de
vos hommes de piloter l'avion ?

— J'ai dit que je vous accompagnerais.

Il disposa les œufs et le bacon dans une
assiette qu'il déposa sans cérémonie sur la table.

— Comme vous voulez, Murdock, répondit-
elle en prenant un siège.

— J'agis toujours comme je l'entends.

Puis, saisi d'une impulsion soudaine, il s'empara de son visage et déposa sur ses lèvres un
long baiser qui les laissa tous deux tremblants
d'un désir rageur.

— Vous devriez faire plus attention. Vous
oubliez que je tiens un couteau.

Avec un petit rire, il s'installa en face d'elle.

— La prudence me manque singulièrement
depuis que je vous connais.

Tout en buvant son café, il l'observa intensément tandis qu'elle mangeait sans appétit. Il
n'aurait jamais dû permettre que leurs relations

140

atteignent un tel degré d'intimité. Mais s'il parvenait à redresser la barre, à limiter ces relations à leurs conventions premières, peut-être réussirait-il à reprendre le contrôle de ses émotions.

— Je ne comprends pas pourquoi vous avez attendu si longtemps avant d'acheter un avion.

Il savait très bien que cette remarque la contrarierait. Elle leva le nez de son assiette avec une lenteur délibérée.

— Tiens donc !

— Seuls les imbéciles refusent le progrès.

— Quel point de vue passionnant ! Avez-vous d'autres idées à me soumettre sur vos conceptions de l'élevage ?

— Oui, quelques-unes.

— Vraiment ?

Elle posa sa fourchette pour ne pas céder à la tentation de l'embrocher.

— Je serais absolument ravie de les connaître.

— Plus tard, peut-être.

Il se leva.

— Allons-y. Nous avons perdu suffisamment de temps.

La jeune femme le suivit en serrant les dents. Elle regrettait de lui avoir témoigné sa gratitude.

Le petit biplace ne lui disait rien qui vaille. Seuls les moyens de locomotion à quatre pattes, ou quatre roues, lui inspiraient confiance. Mais elle attacha sa ceinture avec une désinvolture de rigueur.

— Déjà montée dans un de ces coucous ?

— Bien sûr. Dans le mien.

Elle s'abstint de décrire la frayeur que lui avait causée son unique promenade dans les airs. Mais, même s'il lui en coûtait de lui donner raison, elle se rangeait à son avis : dans cette deuxième moitié du XXᵉ siècle, un avion constituait un outil indispensable pour les éleveurs.

Le moteur vrombit et, au terme d'une brève course, l'appareil quitta le sol. Il faudrait bien qu'elle s'habitue à cette désagréable sensation si elle voulait piloter elle-même son avion. Alors, elle laissa ses mains reposer sur ses genoux et tenta d'oublier les nœuds qui se formaient au creux de son estomac.

Adam remarqua que les doigts de la jeune femme s'agitaient inlassablement. Elle est nerveuse, pensa-t-il, avec une certaine surprise. Elle le cachait très bien.

— Ces coucous ne sont pas gros mais ils sont incroyablement maniables. Vous pouvez vous poser dans un pré, si nécessaire, sans même déranger les vaches. Regardez en bas. Admirez ce paysage.

Elle lui obéit pour éviter ses sarcasmes. Mais, bizarrement, le spectacle qu'elle découvrit la réconforta. La campagne déroulait sous eux ses collines et ses plaines, sa mosaïque de pâturages séparés par des chemins de terre : traits bruns si droits, si nets, qu'on les aurait dits tracés à la règle. Elle vit les méandres azur de la petite rivière qui traversait sa propriété et celle d'Adam. Des vaches noir et blanc broutaient paisiblement. Des chevaux à la robe feu galopaient, crinière au vent. De temps en temps, l'avion survolait un cavalier qui agitait son chapeau dans leur direction. Adam répondait à son salut en balançant légèrement l'appareil, ce qui déclenchait le rire de la jeune femme.

— C'est merveilleux ! Quand je contemple

142

cette immensité je n'arrive pas à croire qu'elle m'appartienne.

— Je sais. On ne peut se lasser de l'admirer.

Elle appuya sa tête contre la fenêtre. Il aime autant ce pays que moi, pensa-t-elle. Comme son séjour à Billings a dû lui paraître long! Chaque fois qu'elle songeait à ces cinq années qu'il avait sacrifiées, son admiration grandissait.

— Je vais vous confier un secret, mais surtout ne riez pas. Quand j'étais petite, la première fois que je suis allée à la campagne, j'ai cueilli une poignée d'herbe que j'ai cachée dans une boîte, à la maison. L'herbe s'est desséchée rapidement mais ça m'était égal.

— Combien de temps l'avez-vous conservée?

— Jusqu'à ce que ma mère la trouve et la jette.

— Elle ne vous comprenait pas.

— Non, bien sûr que non...

Cette constatation lui arracha un éclat de rire inattendu.

— Oh, regardez! Le camion de Jim!

Toute à sa découverte, elle ne vit pas l'air compatissant d'Adam. Son père s'était parfois montré dur envers lui, injuste même, mais il l'avait toujours compris.

— Parlez-moi de votre famille.

Jillian se tourna vers lui, surprise de l'intérêt qu'il lui témoignait. Mais, saisie d'une pudeur soudaine, elle ne put s'épancher davantage.

— Non, pas maintenant.

De nouveau, elle contempla la campagne.

— Si seulement je savais ce que je cherche.

Et moi donc, se dit Adam. Il était de plus en plus certain qu'il ne parviendrait pas à se libérer d'elle.

— Dans quelle partie du domaine vous a-t-on dérobé le plus de bêtes ?

— La section nord. Mais je me demande toujours comment les malfaiteurs ont pu voler cinq cents vaches, juste sous mon nez.

— Vous n'êtes pas la première à qui ce genre de mésaventure arrive. Ni la dernière. Si vous vouliez évacuer des bêtes de votre secteur nord, où les conduiriez-vous ?

— Si elles ne m'appartenaient pas, répondit-elle amère, je pense que je les chargerais dans un train pour leur faire franchir la frontière.

— Mais avant d'affréter un train, il vous faudrait les rassembler quelque part.

— Dans ce cas, j'utiliserais une des gorges qui s'enfoncent dans la montagne, plus au nord.

— Eh bien ! Cap sur les gorges !

La campagne riante qui s'étalait sous eux fit place à une région plus aride, plus accidentée. Une route d'asphalte à deux voies serpentait entre les reliefs. Le massif septentrional ne possédait pas la majesté de son cousin occidental, mais il offrait un aspect plus sauvage, inhospitalier. Seuls l'habitaient les coyotes et les renards qui fuyaient le voisinage des hommes.

Adam prit de l'altitude et décrivit de grands cercles. Jillian scrutait les dépressions du terrain. Oui, si elle devait dissimuler des bêtes, elle choisirait cet emplacement. C'est alors qu'elle aperçut des vautours et son cœur se serra.

— Je vais poser l'appareil, déclara Adam sans autre commentaire.

Jillian resta muette. Si ses craintes se vérifiaient, il lui faudrait prévoir de sérieuses économies avant l'hiver. La vieille Jeep attendrait des jours meilleurs pour être remplacée. Elle vendrait une partie de son cheptel. Des chiffres alignés dans un livre... Elle ne voulait pas envisager les choses sous un autre angle.

Adam coupa le moteur.

— Si vous m'attendiez ici pendant que je vais jeter un coup d'œil ?

— Il s'agit de mon bétail, se contenta-t-elle de répondre avant de sauter de la carlingue.

Le sol aride et creusé de ravines ressemblait bien peu aux riches pâturages de son domaine. Aucun arbre ne projetait son ombre sur la nature desséchée par un soleil implacable. Elle entendit un battement d'ailes et vit un vautour se poser sur une crête proche.

Le défilé étroit s'enfonçait entre deux parois rocheuses sur lesquelles s'accrochaient de maigres touffes de sauge. Leurs bottes résonnaient sur les pierres et les falaises renvoyaient les échos de leurs pas. Soudain, à sa grande surprise, ils perçurent le chant cristallin d'une source. Le débit doit être faible, pensa-t-elle, sinon elle n'aurait pas manqué de déceler l'odeur particulière de l'eau et elle ne sentait rien d'autre que... Elle s'immobilisa et poussa un long soupir horrifié.

— Oh, non !

Devant eux, des os probablement déterrés par un coyote jonchaient le sol.

— Il y a une pelle dans l'avion. Nous pouvons creuser pour voir combien de bêtes ont été abattues. A moins que vous ne préfériez prévenir le shérif.

— Non.

Elle essuya ses mains moites sur son jean.

— Je préfère être fixée tout de suite.

Cette fois il n'osa pas lui suggérer de l'attendre

à l'avion. A sa place, il n'aurait pas agi autrement. Sans un mot, il la laissa seule.

Quand le bruit de ses pas s'estompa au loin, la jeune femme ferma les paupières, serra les poings. Elle aurait aimé hurler sa rage, son impuissance. Ce qui lui appartenait avait été dérobé, abattu ou vendu. Elle ne pourrait plus jamais rentrer en possession de son bien, le fruit de son travail, de ses efforts acharnés. Lentement, douloureusement, elle parvint à retrouver son calme. Elle ne récupérerait rien mais elle obtiendrait justice.

Quand Adam fut de retour avec la pelle, il vit la colère briller dans les yeux de Jillian. Il préférait cette réaction au désespoir auquel elle s'était abandonnée en découvrant le triste spectacle.

Il n'eut pas à creuser longtemps. Le canyon avait bien servi d'abattoir aux brigands. Il se tourna vers la jeune femme dont le visage restait parfaitement impassible.

— Je crois que nous en savons assez. Laissons le shérif se charger du reste.

Aussi furieux que s'il s'était agi de ses propres bêtes, il donna un dernier coup de pelle rageur dans la terre meuble. L'outil heurta quelque chose. Jillian se baissa et ramassa l'objet. Il s'agissait d'un gant de cuir épais comme ceux qu'utilisent les cow-boys pour empoigner les barbelés. Elle en ressentit aussitôt une bouffée d'espoir.

— L'un d'entre eux a dû le perdre en enterrant les carcasses.

Elle se releva d'un bond et se mit à l'examiner avidement.

— Voilà une erreur qui va leur coûter cher !

La plupart de mes employés marquent leurs initiales à l'intérieur.

Elle ne tarda pas à les trouver mais sa découverte la glaça d'effroi. Sans un mot, elle lui tendit le gant. La doublure portait bien deux initiales : celles d'Adam.

— Eh bien! dit-il d'un ton qui se voulait désinvolte, nous voici revenus à la case départ.

Il lui rendit la pièce à conviction.

— Tenez. Le shérif en aura besoin.

Jillian le foudroya du regard.

— Me croyez-vous assez stupide pour vous soupçonner ?

Puis elle tourna les talons et s'éloigna. Adam resta un instant médusé. Quand il eut retrouvé ses esprits, il se lança à sa poursuite. Lorsqu'il lui attrapa le bras pour l'obliger à lui faire face, sa main tremblait légèrement, il respirait par saccades.

— J'avoue que cette idée m'a traversé l'esprit. Mais j'aimerais savoir pourquoi vous écartez cette hypothèse ?

— Vous avez bien des défauts, mais pas celui-là.

Sa voix se brisa et elle dut faire un effort pour poursuivre.

— Je vous sais beaucoup trop intègre pour couper mes clôtures et abattre mes bêtes.

Ses paroles seules auraient suffi à l'émouvoir mais, au spectacle de ses yeux embués de larmes, sa gorge se noua. Il ne connaissait rien à l'art de consoler une femme. L'attirant tout contre lui, il effleura sa joue.

— Jillian...

— Non, je vous en prie! Pas d'attendrissement inutile.

Elle tenta de se dégager mais finit par enfouir le visage au creux de son épaule. Son corps massif lui offrait le réconfort et le soutien dont elle avait tant besoin. Mais si elle se laissait bercer par cette sécurité illusoire, que deviendrait-elle lorsqu'il s'éloignerait d'elle ?

— Non, Adam, il ne faut pas !

— Je dois pourtant faire quelque chose, murmura-t-il en caressant ses cheveux. Je vous en prie, acceptez mon aide !

Les larmes brûlaient ses paupières. Pas moyen de les contenir. Alors, avec une émotion qu'ils ne comprenaient tous deux que trop bien, elle donna libre cours à ses pleurs tandis qu'ils restaient étroitement enlacés au milieu de ce paysage désolé.

Chapitre 9

Jillian n'eut guère le temps de s'apitoyer sur son sort. Plus de deux cents carcasses avaient été exhumées. Certains lambeaux de cuir portaient encore la marque d'Utopia. Elle eut plusieurs entrevues avec le shérif, s'adressa au syndicat des éleveurs, reçut la visite de nombreux voisins. Après sa première et unique crise de larmes, son désespoir se mua en une froide détermination qu'elle jugeait beaucoup plus constructive. Cette nouvelle attitude l'aida à reprendre son travail avec une ardeur décuplée et à affronter les témoignages de sympathie sans se laisser affecter.

Pendant deux bonnes semaines, sa mésaventure constitua l'unique sujet de conversation au ranch et dans les environs. On n'avait pas connu un vol de cette importance depuis des années. Puis les discussions se tarirent progressivement, ce qui la soulagea quelque peu, mais entama son espoir de voir les recherches aboutir.

Mise devant le fait accompli, elle ne pouvait qu'accepter son sort mais elle refusait d'admettre que ses voleurs s'en tirent à si bon compte. Ils étaient malins. Il fallait bien leur rendre cette justice. Ils avaient mené leur affaire avec une ingéniosité et une audace que les célèbres bandits d'autrefois n'auraient pas reniées. La clôture sectionnée, le gant d'Adam : erreurs grossières, destinées à diriger les soupçons sur les Murdock. Mais Jillian savait, désormais, à quoi s'en tenir et entrevoyait la possibilité de prendre les malfaiteurs de vitesse.

D'office, Adam lui avait imposé son aide. Elle avait bien essayé de se rebiffer, mais il s'était montré aussi obstiné qu'elle. Il l'avait conduite lui-même chez le shérif, l'avait accompagnée au syndicat des éleveurs et, même, entraînée de force au cinéma pour lui changer les idées. Pourtant, il ne lui témoignait pas une indulgence excessive. Et elle lui en savait gré. Car la gentillesse la laissait sans défense et émoussait sa combativité.

Par un après-midi pluvieux, elle bouchonnait Dalila quand la silhouette d'Adam se découpa dans l'encadrement de la porte.

— Puis-je vous suggérer de m'offrir une tasse de café et l'abri de votre toit ? demanda-t-il en ôtant son chapeau ruisselant.

Elle acquiesça d'un sourire et ils quittèrent l'écurie bras dessus bras dessous pour traverser la cour sous des trombes d'eau.

— Des nouvelles du shérif ? s'enquit-il quand ils eurent enfin atteint la maison.

— Rien de neuf. Mais il a mis toute la région en émoi.

— Je sais.

— Tous les éleveurs du Montana sont sur le qui-vive. J'envisage d'offrir une récompense.

— Bonne idée.

Adam s'installa à la table de la cuisine et étendit ses longues jambes pendant que Jillian préparait le café. La chaude atmosphère de la pièce lui procura un délicieux sentiment de bien-être. Il lui vint soudain à l'esprit que ce bien-être serait permanent s'ils partageaient un seul et même ranch...

Ils avaient passé plusieurs nuits ensemble, toutes plus merveilleuses les unes que les autres. Mais cette relation, aussi agréable fût-elle, ne le satisfaisait pas. Il voulait consolider le lien qui les unissait, faire de cette idylle à épisodes une relation permanente et durable.

C'est alors que son idée prit forme et se concrétisa tout à coup en un mot : mariage. Oui, il voulait l'épouser. Frappé par cette révélation, il resta un moment perplexe avant de s'intéresser de nouveau à la conversation.

— Laissez-moi offrir la récompense.

Elle se tourna vers lui, surprise par cette brusque intervention, et s'apprêtait à décliner son offre mais il l'interrompit :

— Attendez. Avant de refuser, écoutez ce que j'ai à dire. Mon père a eu vent de l'affaire. La clôture sectionnée lui a rappelé les vieilles querelles entre les Murdock et les Baron. Les gens ne vont pas manquer de jaser.

— Je ne le soupçonne pas.

— Je sais.

Il tendit la main et prit la tasse qu'elle lui offrait. Mais il la posa aussitôt pour s'emparer de ses doigts.

— J'en suis très touché, dit-il.

Visiblement embarrassée, la jeune femme ne sut que répondre.

— Jillian, cette idée le contrarie beaucoup. Autrefois, ce genre de commérage l'aurait comblé d'aise. Aujourd'hui, il n'est plus aussi solide. Votre grand-père était un rival mais ils faisaient partie de la même génération et ils se comprenaient, se respectaient. Il voudrait pouvoir faire quelque chose. Vous savez, je n'aime pas plus que vous demander des faveurs, pourtant je vous en prie, acceptez! Pour lui.

Elle contempla un instant leurs mains jointes, toutes deux fines et musclées, toutes deux bronzées, mais la sienne disparaissait presque entièrement au creux de celle d'Adam.

— Vous l'aimez beaucoup, n'est-ce pas?

— Oui.

Il avait répondu avec le même semblant d'indifférence que lorsqu'il lui avait annoncé que son père se mourait. Mais cette fois, Jillian ne fut pas dupe.

— Soit. Je vous laisse le privilège d'offrir la récompense.

Il serra un peu plus fort sa main comme pour sceller leur accord.

— Parfait.

Il but son café tandis que son regard s'éclairait d'une lueur malicieuse.

— Vos vêtements sont mouillés. Je pourrais peut-être vous aider à les ôter?

Jillian accueillit son offre d'un éclat de rire, puis elle s'assit en face de lui.

— Vous savez que j'ai toujours l'intention de battre le Double M, à la foire de juillet.

— Je n'en doute pas un seul instant. Mais quant à y parvenir!...

— Etes-vous joueur?

— On le dit.

— Je vous parie cinquante dollars que mon taureau écrasera tous les prétendants au titre que vous pourriez aligner.

Adam contempla le fond de sa tasse d'un air songeur.

152

Si ses renseignements étaient exacts, il était sûr de perdre.

— Pari conclu, répondit-il avec un sourire. Et j'en ajoute cinquante si vous me battez à la capture du veau.

— D'accord.

D'une franche poignée de main, ils confirmèrent leur accord.

— Participez-vous à d'autres compétitions ?

— Non.

Elle s'étira délicieusement. Cette petite pause, en plein après-midi, constituait un luxe qu'elle appréciait à sa juste valeur.

— La course en sac ne me tente pas, quant au domptage je ne suis pas assez écervelée pour m'y frotter.

— Pour quelle raison ?

— D'abord les hommes n'admettraient pas que j'empiète sur un territoire qui leur a toujours été réservé et ensuite...

Elle haussa les épaules et lui décocha un large sourire.

— ... Je me casserais probablement le cou.

Il se dit qu'elle ne lui aurait certainement pas fait cet aveu, une semaine plus tôt. Alors il se pencha par-dessus la table pour déposer un baiser sur ses lèvres. Mais ce geste, tout innocent, en entraîna un autre : il prit son visage entre ses mains pour prolonger le baiser.

— C'est la faute de votre bouche, murmurat-il. Chaque fois que j'y goûte je n'arrive plus à m'en détacher.

Son souffle chaud lui caressa la joue.

— Mais nous sommes en plein milieu de la journée.

— Pourquoi ? Vous avez l'intention de m'attirer dans votre chambre ?

Le regard de la jeune femme exprimait un mélange de confusion et de désir qu'il trouvait particulièrement séduisant.

— Il faut que je vérifie le...

A nouveau, il emprisonna ses lèvres.

— Le quoi ?

— Le, heu...

Mais, sans prêter attention à ses paroles, Adam poursuivait ses caresses. Malgré la table qui les séparait, elle croyait sentir la chaleur de son corps contre le sien.

— Vous m'empêchez de réfléchir.

C'est exactement ce qu'il cherchait. Il voulait, au moins pour une fois, être au centre de ses pensées, avant son ranch, ses employés, son bétail, ses ambitions. S'il parvenait à lui inspirer, l'espace d'un instant, des sentiments aussi forts que ceux qu'il éprouvait, il savait que la partie serait gagnée.

— A quoi bon réfléchir ? demanda-t-il.

Et il contourna la table pour la prendre dans ses bras.

Oui, le flot d'émotions qui l'envahissait au contact de ses muscles noueux rendait toute réflexion vaine.

— Je ne peux pas m'empêcher de vous désirer, murmura-t-elle, rougissante.

Elle cacha sa tête contre son torse.

Il la repoussa de façon à capter son regard, puis, avec une indignation feinte, s'exclama :

— Mais nous sommes en plein milieu de la journée !

Elle rejeta sa chevelure en arrière et enlaça son cou.

154

— Peu importe. Je ne peux pas attendre.

Du regard, il parcourut la cuisine immaculée. Un sourire malicieux se dessina sur ses lèvres.

— Vous voulez dire maintenant ? Ici ?

— Je crois que je pourrais patienter jusqu'à ce que nous ayons atteint ma chambre. Si vous vous dépêchez !

Alors, elle se glissa derrière lui et, prenant appui sur ses épaules, se hissa sur son dos.

— Vous connaissez le chemin ?

— Je me débrouillerai.

Elle appuya ses lèvres contre son cou.

— En haut des marches, deuxième porte à droite.

Tandis qu'il suivait ses indications, elle se demanda ce qu'il penserait s'il apprenait qu'elle ne s'était jamais conduite ainsi avec un homme. Comment pouvait-elle lui avouer qu'elle aimait pour la première fois et que cette merveilleuse découverte libérait en elle des élans insoupçonnés ?

Elle ferma les yeux et s'abandonna à ces sensations nouvelles. Jamais elle ne s'était laissée aller à vivre l'instant présent, sans se préoccuper des conséquences.

— Vous manquez de résistance, Murdock, déclara-t-elle avec un sourire qu'il ne pouvait pas voir. Quelques marches et votre cœur s'emballe.

— Le vôtre aussi, rétorqua-t-il. Et vous ne fournissez pas le moindre effort.

— Ce doit être la pluie, murmura-t-elle.

Il pénétra dans la pièce qu'elle lui indiquait et la parcourut du regard. Il reconnaissait bien son style, féminin mais pratique. Rien à voir avec le désordre dont s'entourait sa sœur ni la subtile élégance qu'affectionnait sa mère. Comme l'être qu'il tenait dans ses bras, ce décor était unique. Des murs et un sol unis, des tons sobres. Pas de volets. Jillian n'était pas du genre à se cloîtrer. Elle menait une vie beaucoup trop active.

Un grand vase contenait un bouquet d'ajoncs dont les bourgeons veloutés ressemblaient à des fleurs. Sur sa table de nuit trônait une petite boîte à musique aux incrustations délicates. Elle en soulevait probablement le couvercle lorsqu'elle était d'humeur nostalgique. Comme elle prenait soin de dissimuler sa nature romantique que tant de précaution rendait soudain plus flagrante !

— Il n'y a pas grand-chose à voir, dit-elle comme pour s'excuser de la simplicité du décor.

— Détrompez-vous, murmura-t-il.

Intriguée par cette réponse énigmatique, elle regarda autour d'elle.

— Vous savez, je ne passe pas beaucoup de temps ici.

Adam la déposa à terre et se tourna vers elle.

— Pourtant, cette pièce porte votre empreinte.

Sans qu'elle sache au juste pourquoi, cette remarque la combla d'aise.

— Seriez-vous poète à vos heures ? s'enquit-elle en riant.

— Peut-être.

— Voulez-vous que je vous aide aussi à retirer vos vêtements mouillés ? demanda-t-elle en jouant avec le bouton de son col.

— Volontiers.

Elle s'exécuta et sourit quand il fit glisser le vêtement sur ses épaules.

156

— Si vous comptez sur moi pour vous séduire, vous allez être déçu.

— Et pourquoi ?

— Je ne connais rien à l'art de la séduction.

Sans lui laisser le temps de répondre, elle lui sauta au cou et lui fit perdre l'équilibre. Etroitement enlacés, ils tombèrent sur le lit.

— Aucune ruse, aucune finesse... poursuivit-elle.

— Je vous trouve pourtant bien entreprenante.

— Et vous, tout à fait à mon goût.

Elle enfonça les doigts dans sa chevelure drue en observant son visage.

— Au début, cela me rendait furieuse mais je commence à m'y habituer.

— A mon physique ?

— Au fait qu'il me plaise.

Elle décrivit du doigt les contours de son visage.

— Quand vous souriez vous êtes vraiment adorable ! Je me suis tout de suite méfiée de ce sourire.

— Ah oui ?

— Je suis assez maligne pour reconnaître un serpent à sonnettes quand j'en vois un.

— Mais pas assez pour garder vos distances.

— La prudence n'est pas ma qualité première.

Il se promit de satisfaire son penchant pour les émotions fortes. En espérant les rendre durables... Il voulut basculer sur elle mais les lèvres de la jeune femme parcouraient inlassablement son visage ; douces, légères, elles étaient pourtant pleines de promesses brûlantes. Ses formes souples épousaient son corps viril, annihilant sa volonté. Oui, Jillian était beaucoup trop fou-

157

gueuse, beaucoup trop impatiente pour sacrifier à l'art de la séduction.

La pluie tambourinait contre les vitres de la fenêtre. Des gouttes perlaient encore sur les cheveux de la jeune femme et Adam s'en abreuvait avec délices. Ils auraient pu se trouver seuls, au milieu d'un champ, grisés par l'odeur de l'herbe mouillée et la caresse de la pluie sur leurs corps nus.

Jillian n'avait jamais soupçonné le plaisir que procure la soumission d'un homme. Elle sentait ses forces le quitter et cette constatation l'enivrait. Jamais elle n'avait pris conscience, à ce point, du pouvoir qu'elle exerçait sur lui. Ses mains découvraient ce corps superbe qui s'offrait voluptueusement à ses caresses, s'attardaient sur le galbe d'un muscle, plongeaient dans sa toison bouclée.

Puis elle défit l'attache de sa ceinture pour poursuivre son exploration. Il étouffa un gémissement. Le chant de la pluie se mêlait au bruit de leur respiration saccadée qui emplissait la pièce. L'odeur de leurs deux corps se confondait en un parfum suave, enivrant. Elle posa ses lèvres sur sa peau pour se délecter de son goût musqué. Malgré le désir qui bouillonnait dans ses veines, elle aurait pu prolonger indéfiniment ce délicieux prélude.

L'incendie qui s'était emparé d'Adam l'embrasait maintenant tout entier. Il découvrait sa propre vulnérabilité avec un émerveillement muet. Les doigts de Jillian, ses lèvres, éveillaient son corps à une vie nouvelle, le faisaient vibrer, déclenchaient des frissons de plaisir qui couraient sur sa peau brûlante. Jamais une femme n'avait exercé sur lui un tel pouvoir. Il était entièrement à sa merci.

Les rafales de vent, chargées de pluie, fouettaient la façade et la violence des éléments répondait à la tempête sensuelle qui faisait rage en lui. Alors, comme sa lucidité vacillait, il la retourna dans ses bras. La lueur blafarde qui filtrait dans la pièce projetait des reflets nacrés sur son corps de déesse. Sa chevelure répandue sur le couvre-lit blanc encadrait son visage d'un halo de lumière. Ses prunelles brillaient dans la pénombre comme deux diamants verts. Malgré son souffle court, elle le défiait du regard. Prends-moi, je suis à toi, proclamait ce regard. Mais en me faisant tienne, tu te livreras à moi corps et âme.

Eh bien, soit ! se dit-il en étouffant un gémissement.

Puis il prit avidement sa bouche. Elle lui rendit son baiser avec fougue, grisée par la passion qu'elle était parvenue à susciter en lui. Il la désirait ! Il la connaissait mieux que quiconque et il l'acceptait telle qu'elle était. Elle attendait ce moment depuis toujours, sans même sans être rendu compte.

Elle sentit ses doigts fébriles courir sur les boutons de sa chemise qui cédèrent un à un pour dénuder enfin sa poitrine palpitante qu'il pressa contre son torse. Ses mains ne cessaient de parcourir le corps de la jeune femme comme pour propager en elle ce brasier qui le consumait. Il acheva de la déshabiller avec une impatience fiévreuse et ses lèvres saluèrent sa merveilleuse nudité.

Leurs membres se mêlèrent, leurs bouches

s'unirent. Il se délecta de la sève sucrée de son palais qui se mêlait à la sienne. Jamais il n'avait goûté liqueur plus enivrante. Jillian ondulait sous lui, se cambrait, aussi exigeante que généreuse.

Il se redressa sur les coudes afin de contempler son visage, de la prendre à témoin de la passion qui brillait dans ses prunelles. Le regard de la jeune femme était sombre, embué de désir. Désir dont il était l'unique objet. Il comprit qu'il était enfin arrivé à ses fins : elle ne pensait plus qu'à lui.

Alors, sans cesser de l'observer, il prit possession de son corps avec une exultation sauvage. Les yeux de Jillian trahissaient chaque éclair de bonheur que propageaient en elle les mouvements rythmés de son compagnon. Il pouvait y suivre le crescendo merveilleux qui conduit à l'ultime explosion de joie. Mais il voulait différer cet instant magique, juguler le flot impétueux de son désir et il puisait dans cet effort une jubilation indicible.

Jillian perdait progressivement le contrôle de ses sens. Mais chaque fois qu'elle croyait atteindre les sommets extatiques de l'amour, il l'emportait encore plus loin, lui révélait de nouveaux sommets, plus hauts, plus sublimes encore. Et chaque vague de plaisir qui déferlait sur elle noyait un peu plus sa lucidité. Elle s'accrochait désespérément à lui pour ne pas se laisser happer par ce tourbillon sensuel avant d'avoir assouvi sa soif.

Sans le savoir, elle donna le signal de l'achèvement en murmurant son nom comme si elle n'en connaissait aucun autre.

Un long frisson secoua le corps d'Adam et elle comprit que sa volonté chavirait. Ils furent projetés, ensemble, dans un univers plein de fracas et de lumière...

Chapitre 10

Malgré la chaleur et la poussière de la route, Jillian roulait vers la ville, le cœur léger. Ce matin du quatre juillet marquait le début de festivités qui dureraient jusqu'à la nuit.

En dépit de l'heure matinale, l'aire qui accueillait la foire était déjà noire de monde : éleveurs et employés, épouses et fiancées, célibataires des deux sexes en quête de rencontre se côtoyaient tandis que les animaux de concours attendaient d'être départagés. L'arène où les compétitions allaient se dérouler était déjà dressée.

Les cow-boys arboraient les bottes et le chapeau des grandes circonstances. Les boucles des ceinturons brillaient au soleil. Les enfants avaient revêtu leurs tenues du dimanche que la poussière et l'herbe maculeraient bientôt.

Pour Jillian cette journée constituait enfin sa première occasion de détente. Ses récents problèmes ne la rendaient que plus précieuse à ses yeux. L'espace de vingt-quatre heures, elle oublierait tous ses soucis, les chiffres alignés dans ses livres de comptes et le rang de patron qu'il lui fallait mériter chaque jour, pour n'être plus qu'un membre de cette merveilleuse famille qui tirait ses revenus et ses joies de la terre.

Au loin, elle entendit un air de violon. Les

orchestres se mettraient véritablement en place à la tombée de la nuit pour animer le bal. Mais, auparavant, il y aurait des jeux, des compétitions et assez de victuailles pour nourrir toute une région. L'odeur appétissante d'une tarte aux pommes dont un gourmand se régalait fit frémir les narines de Jillian.

Mais d'abord, le concours du plus beau taureau, se dit-elle en se dirigeant vers l'enclos où cinq prétendants au titre entouraient son champion. Ils n'avaient rien d'engageant avec leurs cornes acérées, leur encolure massive, leurs muscles puissants. Jillian se mit à les examiner un à un, en tâchant d'être aussi objective que possible, notant leurs points forts, relevant leurs défauts. Sans aucun doute, le candidat du Double M serait son rival le plus dangereux. Il avait remporté le trophée trois années consécutives.

Mais pas cette fois, songea-t-elle en le détaillant. Son taureau était peut-être moins lourd mais il possédait un poitrail plus large. De plus, sa robe était parfaite, son port de tête plus majestueux.

— Place au jeune! dit-elle au champion en titre.

Passablement sûre de son fait, elle glissa ses pouces dans les passants de sa ceinture. Le premier prix et la médaille compenseraient les déboires qu'elle avait subis ces dernières semaines.

— Vous avez le flair pour dénicher les futurs vainqueurs.

Jillian fit volte-face et se trouva nez à nez avec Paul Murdock. L'élégance de ses vêtements n'atténuait pas la pâleur de son visage et, même si sa canne possédait un pommeau d'argent, il n'en pesait pas moins lourdement dessus. Pourtant son regard perçant dénotait une vitalité hors du commun. Elle le soutint sans broncher.

— C'est exact, je reconnais tout de suite un champion.

Il grimaça un sourire.

— J'ai beaucoup entendu parler de votre nouvelle acquisition.

Il détailla l'animal en fronçant les sourcils et ne put réprimer un soupir envieux. Lui aussi savait apprécier les qualités d'un taureau.

Le soleil dardait ses rayons sur son dos voûté et, l'espace d'un instant, il regretta sa jeunesse. Le temps était plus fort que tout. Ah! Si seulement il pouvait avoir cinquante ans et posséder cette bête... Mais il n'était pas du genre à se répandre en regrets inutiles.

— Il a ses chances.

Elle devina son admiration. Rien n'aurait pu l'enchanter davantage.

— La seconde place n'a rien de déshonorant, lança-t-elle avec une pointe d'ironie dans la voix.

Murdock la foudroya du regard mais, devant son air espiègle, il ne put s'empêcher de rire.

— Vous êtes un sacré bout de femme, Jillian Baron! Votre grand-père vous a bien dressée.

— Il m'en a appris suffisamment pour diriger un ranch.

— Possible, admit-il avec un hochement de tête. Les temps ont changé.

La jeune femme décela l'amertume que contenait sa remarque mais elle ne lui en tint pas rigueur. Après tout, elle comprenait sa nostalgie.

— Cette affaire de vol de bétail...

Il scruta son visage pour guetter sa réaction. Elle conservait une expression indéchiffrable.

164

Une partie de poker avec elle ne lui aurait pas déplu.

— C'est une véritable ignominie, s'exclama-t-il avec une fureur soudaine. Il fut un temps où l'on pendait les gens pour moins que ça.

— Pendre mes voleurs ne me rendra pas mon bétail, rétorqua-t-elle calmement.

— Adam m'a parlé de votre découverte dans le canyon.

Il contempla un instant les taureaux en silence. Ils représentaient la richesse du ranch, son profit et sa raison d'être.

— Rude coup pour vous, pour nous tous, ajouta-t-il en croisant de nouveau son regard. Je veux que vous sachiez que je détestais votre grand-père, son entêtement et sa prétention.

— C'est exact, reconnut-elle avec une facilité qui déclencha le rire de Paul Murdock. C'est pourquoi vous vous compreniez si bien.

Cette remarque coupa net l'hilarité du vieillard et il la fixa intensément.

— Oui, je l'admets, nous nous comprenions. Et, malgré l'antipathie qu'il m'inspirait, je veux également que vous sachiez que je ne l'aurais jamais laissé tomber dans des circonstances semblables. Sans doute aurait-il agi de même pour moi. Nous sommes des éleveurs. Les sentiments personnels passent après.

Il avait prononcé ces mots avec un tel orgueil qu'elle ne put s'empêcher de redresser fièrement le menton.

— C'est vrai.

— Vous auriez très bien pu me soupçonner d'avoir commandité le vol.

— Je ne suis pas idiote à ce point. Mais si je

vous avais tenu pour responsable, je vous l'aurais déjà fait payer.

Un sourire admiratif se dessina sur les lèvres de Murdock.

— Je constate que les leçons de Baron vous ont profité.

Puis il ajouta, après une courte hésitation :

— Mais je persiste à penser qu'une femme a besoin d'un homme pour l'aider à diriger un ranch.

— Et moi qui commençais à vous trouver sympathique !

De nouveau, il partit d'un rire si franc qu'elle ne put s'empêcher de l'imiter.

— Ce n'est pas à mon âge qu'on change, jeune fille.

Il plissa un instant les paupières comme elle avait vu son fils le faire. Elle prit soudain conscience que dans quarante ans Adam aurait cette allure, posséderait cette force qui défie les ans et sur laquelle on peut se reposer en toute confiance.

— J'ai entendu dire que mon fils vous trouve à son goût. Je ne peux pas le blâmer.

— Prêtez-vous foi à tous les ragots ?

— Le contraire me décevrait beaucoup de sa part. Un homme a besoin d'une femme pour s'assagir.

— Vraiment ? s'enquit-elle sèchement.

— Ne prenez pas la mouche, jeune fille. A mon époque je n'aurais jamais admis qu'il s'entiche d'une Baron. Mais les temps ont changé, répéta-t-il avec un regret évident. Nos deux domaines se côtoient depuis près d'un siècle et nous n'y pouvons rien.

166

La jeune femme épousseta sa manche, un instant, en silence.

— Je ne cherche à assagir personne, monsieur Murdock. Encore moins à fusionner avec un autre ranch.

— Mais il arrive que l'on obtienne des résultats inattendus. Prenez ma Karen, par exemple. Qui aurait dit que j'épouserais une femme dont l'élégance vous oblige à essuyer ses pieds sur le paillasson, qu'ils soient crottés ou non.

Jillian rit malgré elle et lui prit le bras, geste qui les surprit tous deux.

— J'ai l'impression que vous voulez enterrer la hache de guerre.

Comme il se raidissait, elle pouffa.

— C'est vous qui prenez la mouche, maintenant ! Je suis d'accord pour un cessez-le-feu. Adam et moi sommes... enfin nous nous comprenons. J'aime beaucoup votre femme et je vous trouve à peu près supportable.

— On croirait entendre parler votre grand-père, maugréa-t-il.

— Merci du compliment.

Tandis qu'ils marchaient dans la foule, Jillian remarqua les regards qu'on leur lançait. Un Murdock et une Baron bras dessus, bras dessous ? Oui, décidément les temps avaient bien changé ! Elle se demanda comment Clay aurait réagi ? Elle conclut qu'à sa façon bourrue il aurait approuvé son attitude.

Quand Adam les vit passer devant l'arène, il interrompit brusquement la conversation qu'il avait avec un cow-boy. Jillian rejeta sa chevelure en arrière, pencha la tête sur le côté et glissa quelques mots à l'oreille du vieillard qui éclata de rire. Si ce n'était déjà fait, il serait tombé amoureux d'elle sur-le-champ.

— Mais on dirait bien Jillian Baron avec ton père ?

— Hmm ? Oui.

Adam ne pouvait détacher ses yeux de la jeune femme.

— Une belle femme ! Il paraît qu'elle et toi...

Mais il s'interrompit devant le regard glacial d'Adam et toussota d'un air gêné.

— Enfin, je demandais ça parce que tout le monde sait que les Murdock et les Baron n'ont jamais fait très bon ménage.

— Il ne faut pas écouter tout ce qu'on raconte.

Il mit le cow-boy à l'aise en lui décochant un clin d'œil malicieux, puis tourna les talons.

Ah, ces Murdock ! songea le cow-boy en hochant la tête. On ne sait jamais comment les prendre !

— La vie réserve bien des surprises, déclara Adam en s'avançant à leur rencontre. Pas d'effusion de sang ?

— Votre père et moi sommes parvenus à un compromis.

Paul Murdock comprit au regard des deux jeunes gens que la rumeur disait vrai.

— Ta mère m'a inscrit de force dans le jury du rodéo, grommela-t-il.

En contemplant son fils, il n'éprouvait plus la moindre nostalgie, car il avait l'impression de se perpétuer à travers lui.

— Je serai dans les tribunes pour vous voir à l'œuvre.

Sur ces mots, il s'éloigna à petits pas. Jillian dut enfoncer les poings dans ses poches pour résister à la tentation de le soutenir. Elle devinait l'accueil glacial qu'il réserverait à son attention.

— Je l'ai rencontré à l'enclos des taureaux, confia-t-elle à Adam lorsqu'il se fut éloigné. Je pense qu'il s'y est rendu exprès pour me parler en tête à tête. Je le trouve très gentil.

— Peu de gens partagent cette opinion.

— Peu de gens ont eu affaire à un grand-père comme Clay Baron, rétorqua-t-elle en souriant.

— Comment allez-vous ?

Il ne put s'empêcher d'effleurer sa joue de la main.

— Selon vous ? dit-elle en le prenant à témoin de sa mine radieuse.

— Je vous avouerais bien que je vous trouve ravissante si vous n'étiez allergique à ce genre de compliment.

Elle éclata de rire et battit comiquement des cils.

— Tout est permis un jour de fête.

— Passez-le avec moi.

Il lui tendit la main, sachant que si elle y blottissait la sienne sans se préoccuper des regards indiscrets, il marquerait un point décisif.

Elle glissa ses doigts dans sa paume.

— Je commençais à croire que vous ne le proposeriez jamais.

Ils passèrent la matinée à boire de la limonade, à assister aux différents concours et à déambuler sous le ciel serein qui promettait une journée magnifique. Les enfants jouaient au ballon. Les adolescents flirtaient avec l'insouciance de leur âge. Les vieux mâchaient leur tabac à chiquer en se racontant des histoires, toutes plus invraisemblables les unes que les autres.

Ils s'arrêtèrent devant un stand où un groupe d'hommes pataugeaient dans la boue à la poursuite d'un goret qu'ils étaient censés immobiliser. La foule encourageait les participants à grand renfort de quolibets et de cris joyeux.

Jillian observa Adam à la dérobée. Il ne semblait pas s'intéresser au spectacle.

— Vous n'aimez pas les jeux, Murdock ?

— Tout dépend des règles.

Il lui enlaça la taille.

— D'ailleurs, je connais une meule de foin pas très loin d'ici...

La jeune femme l'interrompit d'un éclat de rire. Mais il la prit dans ses bras et l'embrassa avec fougue. Des sifflets fusèrent d'un groupe de cow-boys qui observait la scène. Quand la jeune femme parvint à se libérer, elle reconnut parmi eux plusieurs de ses hommes.

— C'est jour de fête, lui rappela-t-il pour couper court à ses protestations.

Mais, loin de perdre contenance, Jillian le contemplait en souriant. Puisqu'il semblait apprécier ce genre de jeu elle allait lui montrer ce dont elle était capable.

— Vous aimez les feux d'artifice ? s'enquit-elle avant de jeter les bras autour de son cou et de se hisser à sa bouche.

Adam n'entendit pas la nouvelle ovation que déclenchait leur étreinte mais il eut l'impression que le sol se dérobait sous lui.

— Vous m'avez manqué la nuit dernière, Murdock, murmura-t-elle.

Adam inspira profondément avant de pousser un long soupir.

— Vous m'avez mis l'eau à la bouche. J'espère que nous n'en resterons pas là.

— Nous verrons plus tard, répondit-elle sans cesser de sourire. Mais d'abord, allons assister au concours des mangeurs de tartes. Jim y participe.

Il l'aurait suivie n'importe où et il se sentit soudain aussi emprunté qu'un adolescent à son premier rendez-vous. Il y avait en Jillian tant d'insouciance! Elle avait oublié toutes ses responsabilités, tous ses soucis. Jamais le ciel ne lui avait paru plus bleu, le soleil plus resplendissant. Chaque instant de cette journée resterait à tout jamais gravé dans sa mémoire.

Quand l'heure du rodéo arriva, Jillian était grisée de liberté. Lorsque la reine de la fête et sa suite défilèrent dans l'arène, elle serrait encore au creux de sa main cette médaille que son taureau avait remportée.

— Vous me devez déjà cinquante dollars, déclara-t-elle à Adam en troquant ses escarpins contre une paire de bottes patinées par l'usage. Passons à la deuxième partie de notre pari : la capture du veau au lasso.

— D'accord.

Elle se sentait le vent en poupe. Sa chance avait tourné et aucun obstacle ne lui paraissait insurmontable. Une foule de concurrents se pressaient derrière les barrières. Malgré l'ambiance décontractée, une certaine effervescence régnait. Le tintement des éperons emplissait l'atmosphère, chargée d'odeur de cuir et de tabac. Les acrobaties équestres constituaient la première épreuve. Quand le haut-parleur l'annonça, Jillian fendit la foule pour assister au spectacle.

— Je m'étonne que vous n'y soyez pas inscrite, confia Adam.

Elle inclina la tête pour frôler son épaule, et
cette manifestation de tendresse l'émut au plus
haut point.

— Ce genre de sport exige une trop grande
dépense d'énergie. J'ai placé cette journée sous
le signe de la paresse. Par contre, je constate que
vous participez au domptage de cheval sauvage.
Vous avez décidément plus de cran que de
jugeote.

Il haussa les épaules en souriant.

— Vous vous inquiétez pour moi ?

— Je panserai vos blessures.

— Alors, j'espère ne pas en sortir indemne.
Vous savez...

Il l'enlaça d'un geste à la fois possessif et
affectueux.

— ... Il n'en faudrait pas beaucoup pour que
j'oublie cette petite compétition.

Sans se préoccuper des regards indiscrets, il
effleura ses lèvres.

— La distance qui nous sépare du ranch n'est
pas si grande. Il n'y a pas âme qui vive là-bas.
Par une aussi belle journée, un plongeon dans
l'étang s'impose.

— Ah, oui ?

Elle recula son visage pour croiser son regard.

— L'eau doit être fraîche et limpide, ajouta-
t-il.

Elle se blottit en riant contre lui.

— Après la capture du veau, murmura-t-elle
avant de s'écarter de nouveau.

Jillian préférait les coulisses aux gradins. Elle
aimait écouter les hommes parler des autres
rodéos, vanter leurs exploits, échanger des plai-

santeries. Non, ses parents ne pouvaient pas comprendre l'attrait que cette ambiance exerçait sur elle. Ils s'y sentiraient tout aussi mal à l'aise que Jillian dans la loge de sa mère, à l'opéra. Mais ici, elle était dans son élément et cette certitude lui permettait d'oublier ses angoisses d'enfant, la peur de se sentir différente.

Dans l'arène, les épreuves se succédaient sous les cris et les vivats. Celle du domptage de taureau permit aux concurrents de rivaliser d'habileté et d'audace. Jillian mêlait joyeusement sa voix à celle des spectateurs. Elle sentait, derrière elle, la présence rassurante d'Adam qui discutait avec Jim. Non, jamais elle n'avait été aussi heureuse, aussi détendue !

C'est alors que le drame éclata.

Elle entendit un rire cristallin, vit un ballon multicolore rebondir par-dessus la barrière. Un petit garçon la frôla et se glissa sous la balustrade à la poursuite de son jouet. Avant même que la mère ait poussé un hurlement, elle volait au secours de l'enfant. Elle perçut vaguement la voix d'Adam qui criait son nom.

La silhouette massive du taureau s'inscrivit dans son champ de vision. Le museau écumant, l'œil féroce, il s'apprêtait à charger et le sang de Jillian se figea dans ses veines. Mais comme le sol tremblait sous les sabots de l'animal, elle comprit qu'il n'y avait pas une seconde à perdre. Elle se précipita vers l'enfant et le plaqua à terre. La bête les effleura en soulevant sur son passage un nuage de poussière qui la prit à la gorge.

Elle s'ordonna de ne pas bouger tandis qu'elle pesait de tout son poids sur l'enfant terrorisé. Ne respire même pas, se dit-elle. Des exclamations fusèrent, toutes proches, mais elle n'osa pas relever la tête pour regarder ce qui se passait. Quelqu'un poussait des jurons furieux. Jillian ferma les yeux et se demanda si elle parviendrait jamais à se relever. Le petit garçon commençait à pleurer bruyamment et elle essaya d'étouffer le bruit avec son corps.

Quand des mains l'empoignèrent sous les bras, elle se débattit.

— Espèce d'idiote !

Elle reconnut la voix d'Adam. Alors, elle se détendit et se laissa emporter sans résistance.

— Vous êtes complètement folle.

Adam la soutenait, livide.

— Vous n'êtes pas blessée, au moins ? Mais bon sang, Jillian !

Elle avait l'impression que tout tournait autour d'elle comme lorsqu'elle avait fumé cette fameuse cigarette. Elle sentit confusément qu'on lui prenait la main pour y presser une joue humide.

— Merci, merci, murmurait la mère éplorée tandis que l'enfant hurlait de peur dans les bras de son père. Le petit Simmon, constata-t-elle, hébétée. Le petit garçon qui jouait dans la cour de son ranch pendant que ses parents travaillaient sous ses ordres !

— Tout va bien, Suzan, parvint-elle à dire, malgré l'émotion qui lui nouait la gorge.

Mais Adam ne lui laissa pas le temps de poursuivre. Elle eut l'impression de traverser une mer de visages ahuris.

— Je vous emmène à l'infirmerie.

— Comment ?

Elle avait du mal à enregistrer ses paroles.

— J'ai dit que je vous emmenais à l'infirmerie ! lança-t-il sèchement comme ils atteignaient la barrière.

174

— Non, ce n'est pas nécessaire, je vais très bien.

— Dès que je m'en serai assuré, je vous étrangle.

Elle retira sa main de la sienne et redressa le buste.

— Puisque je vous dis que je me sens tout à fait bien.

Mais à peine avait-elle prononcé ces mots que ses jambes se dérobèrent sous elle.

Quand elle revint à elle, elle sentit tout d'abord le contact de l'herbe drue contre sa paume, puis un linge humide rafraîchit son visage. L'eau qui coulait dans son cou lui arracha une plainte. Elle ouvrit les yeux. Des ombres floues se détachaient sur l'aveuglante clarté du soleil.

Petit à petit, les formes se précisèrent. Elle reconnut Adam penché sur elle. Il tenait un verre contre ses lèvres pour l'obliger à boire. Au second plan, Jim se dandinait d'un pied sur l'autre, visiblement ému.

— Elle n'est pas blessée, déclara-t-il sur un ton destiné à rassurer tout le monde, y compris lui-même. L'émotion a provoqué un malaise. Les femmes tombent dans les pommes pour un oui ou pour un non.

— Tu en sais des choses, maugréa-t-elle avant de remarquer que le verre qu'Adam lui offrait était en fait un flacon de cognac.

Elle en but quelques gorgées et l'alcool acheva de lui rendre ses esprits.

— Et puis d'abord je ne me suis pas évanouie.

— Alors c'était drôlement bien imité, rétorqua Adam.

— Laissez cette enfant respirer.

La voix calme de Karen Murdock eut pour effet d'écarter aussitôt la foule. Elle s'agenouilla aux côtés de Jillian.

— Les hommes en font toujours trop, déclara-t-elle en essorant la compresse gorgée d'eau. Eh bien, Jillian ! Vous pouvez vous vanter d'avoir produit votre petit effet.

La jeune femme se redressa en grimaçant un sourire.

— Vous croyez ?

Elle appuya son front contre ses genoux et attendit un instant pour s'assurer que la tête ne lui tournait plus.

— Je n'arrive pas à croire que j'aie pu m'évanouir, marmonna-t-elle.

Adam poussa un juron et lui arracha le flacon dont il avala une longue gorgée.

— Elle a failli se faire tuer et une seule chose la préoccupe : la peur du ridicule !

Jillian releva la tête comme mue par un ressort invisible.

— Ecoutez, Murdock...

— A votre place je n'en rajouterais pas, lança-t-il en revissant le bouchon. Si vous vous sentez en état de marcher, je vais vous raccompagner chez vous.

— Bien sûr que je peux marcher. Et pas question que je rentre à la maison.

— Je suis persuadée que vous allez très bien, déclara Karen en adressant à son fils un regard de reproche.

Pour un garçon intelligent, il manquait singulièrement de bon sens. Mais quand l'amour s'en mêle, les plus malins ne deviennent-ils pas complètement idiots ?

— Que vous soyez remise ou non, là n'est pas

la question. Si vous restez ici vous risquez d'étouffer sous les effusions de vos admirateurs.

Elle sourit en constatant que ses paroles faisaient mouche dans l'esprit de la jeune femme.

Jillian se leva en grommelant :

— Bon...

Elle commençait à éprouver quelques douleurs dans les muscles, mais elle n'en laissa rien paraître et épousseta son jean d'un air dégagé.

— Vous n'êtes pas obligé de m'accompagner, Adam. Je suis assez grande pour...

Sans lui donner le temps de poursuivre, il l'attrapa par le bras et la tira derrière lui.

La foule commença à se refermer sur eux mais, si certains des admirateurs de Jillian brûlaient de la congratuler, le regard glacial d'Adam les en dissuada.

Après avoir ouvert la portière de son camion, il l'installa sans ménagement sur le siège. Puis il contourna le véhicule pour prendre le volant. Jillian croisa les bras, fermement décidée à ne pas desserrer les lèvres de tout le trajet. Comme il démarrait, elle prit conscience qu'elle avait, non seulement manqué la capture du veau, mais plus encore, qu'elle renonçait au privilège de monter sur le podium lors de la remise des trophées. Elle frémit d'indignation devant cette injustice criante.

Pourquoi Adam semblait-il aussi contrarié ? Après tout il ne s'était pas écorché les coudes et les genoux, il ne s'était pas ridiculisé en s'évanouissant en public ! Et puis n'avait-elle pas sauvé la vie de cet enfant ? Alors, pourquoi la traitait-il comme une inconsciente ? Elle haussa le menton, furieuse.

— A force de pointer votre menton en avant, vous allez finir par rencontrer un poing.

Elle tourna lentement le visage et lui décocha un regard hautain.

— Vous avez besoin de vous défouler, Murdock ? Allez-y !

— Ne me tentez pas.

Il appuya sur l'accélérateur jusqu'à ce que l'aiguille du compteur se bloque à cent quarante.

— Ecoutez, je ne comprends même pas ce que vous me reprochez. Alors pourquoi ne pas vider votre sac une bonne fois pour toutes ? Je ne suis pas d'humeur à supporter vos sarcasmes.

Il donna un brutal coup de volant pour ranger le véhicule au bord de la route. Surprise, la jeune femme fut projetée contre la portière. Mais, à peine était-elle revenue de son étonnement qu'Adam sortait du camion et partait à travers champs. Elle se lança à sa poursuite.

— Mais qu'avez-vous à la fin ?

— Taisez-vous.

Il pressa le pas. Il fallait qu'il garde ses distances le temps de remettre de l'ordre dans ses idées. Il ne pouvait effacer de sa mémoire l'image des deux cornes acérées qui avaient failli embrocher Jillian. Si son lasso n'avait pas atteint sa cible...

Il préférait ne pas songer à ce qui serait arrivé. Trois cordes solides et une dizaine d'hommes s'étaient avérées nécessaires pour détourner le taureau de ces deux corps vulnérables. Il avait failli la perdre !

— De quel droit me parlez-vous sur ce ton ?

Elle se planta devant lui et empoigna le col de sa chemise.

— J'en ai assez de votre sale caractère ! Dieu seul sait pourquoi je vous ai supporté jusqu'ici !

178

Maintenant, la coupe est pleine. Alors, montez dans votre camion et filez où vous voulez !

Elle tourna les talons. Sans lui laisser le temps de s'éloigner, il l'attrapa et la prit dans ses bras. La jeune femme se débattit ce qui l'obligea à resserrer son étreinte. Ce ne fut que lorsqu'elle s'immobilisa pour reprendre haleine qu'elle sentit qu'il tremblait. Et ce n'était pas la colère qui l'agitait ainsi. Jullian resta un instant interdite, ne sachant pas trop comment réagir.

— Adam ?

Il secoua la tête et enfouit son visage dans sa chevelure. Jamais il n'avait été à ce point bouleversé. Après avoir tenté d'apaiser son angoisse en s'éloignant d'elle, il prenait conscience que seul le délicieux contact de son corps chaud et vivant contre le sien en viendrait à bout.

— Oh, mon Dieu, Jillian ! Si vous saviez ce que j'ai ressenti !

Elle appuya la tête contre sa poitrine et se laissa bercer par le lourd battement de son cœur.

— Je suis désolée, murmura-t-elle.

— Il est passé si près ! Quelques centimètres de plus et...

Le taureau, pensa Jillian. Ainsi la réaction d'Adam ne devait rien à la colère mais à une terreur rétrospective.

— Non, je vous en prie. N'y pensez plus. Tout s'est bien terminé.

— Oui, mais nous avons frôlé le drame, s'exclama-t-il en prenant son visage à deux mains. Je n'étais qu'à quelques mètres quand j'ai lancé mon lasso. L'animal était fou de rage. Il allait charger ! Si j'avais raté mon coup, il vous réduisait en charpie.

Jillian le fixa longuement, puis parvint enfin à avaler sa salive.

— Je... je ne savais pas.

Il observa son visage maintenant livide. Pourquoi vous ai-je raconté ça ? songea-t-il, furieux contre lui-même. Alors, il déposa de doux baisers aux coins de ses yeux, de ses lèvres. Ces tendres caresses rendirent à Jillian ses couleurs.

— Ce qui est fait est fait, déclara-t-il enfin, quelque peu raffermi. Excusez ma réaction. Mais comment garder mon sang-froid devant un tel spectacle !

Il lui adressa ce sourire que son regard implorant réclamait.

— Je n'aurais pas aimé vous récupérer en morceaux.

Elle se détendit et lui rendit son sourire.

— Je me préfère également d'un seul tenant ! Mais j'ai écopé de quelques bleus tout à fait inesthétiques.

Sans lâcher son visage, il s'empara avidement de sa bouche. Jillian eut l'impression que ses jambes se dérobaient sous elle pour la seconde fois. Adam se recula. Le moment était venu pour lui de lui avouer ses sentiments, même si elle n'était pas prête à les entendre. Puisqu'il n'avait jamais ouvert son cœur à une femme, il décida de le faire dans les règles.

— Vous allez prendre un bon bain chaud, déclara-t-il en la hissant dans le camion. Puis je vais vous préparer à dîner.

Jillian s'enfonça dans son siège.

— Dorénavant, je crois que je m'évanouirai plus souvent.

Chapitre 11

Quand ils atteignirent la cour du ranch, Jillian était bien décidée à se laisser dorloter. Jamais personne n'avait eu ce genre d'attention pour elle. Dans son enfance, lorsqu'il lui arrivait de tomber malade, son père la soignait avec une efficacité toute professionnelle. Clay avait toujours considéré les plaies et les bosses comme partie intégrante du métier. On les pansait et on retournait travailler.

Et, puisque Adam manifestait le désir de la consoler, elle attendait cette expérience nouvelle avec un plaisir anticipé, surtout s'il l'embrassait encore, comme sur la route, avec cette tendresse et cette passion qui lui faisaient tourner la tête.

Ils n'auraient ni les bruits, ni les lumières de la fête mais ils sauraient bien inventer leurs propres feux d'artifice. Tous les bâtiments étaient déserts, granges, écuries, étables. L'animation que connaissait habituellement le ranch à cette heure de la journée faisait place à un silence presque oppressant. Toutes les bêtes qui ne participaient pas à la foire paissaient en liberté dans les champs. Et personne ne rentrerait à Utopia avant des heures.

— Je crois bien que je ne m'étais jamais retrouvée seule ici, murmura Jillian, quand Adam rangea le camion.

Elle resta un moment assise sur son siège pour s'imprégner du calme qui régnait sur les lieux. Elle aurait pu hurler à pleins poumons, personne ne l'aurait entendue.

— Quelle drôle d'impression. Ordinairement, même lorsqu'on ne voit pas les gens, on sent leur présence.

Elle descendit du véhicule et le claquement de sa portière se répercuta de façon amplifiée.

— Il y a toujours quelqu'un dans les baraquements ou au réfectoire. Des enfants qui jouent, des femmes qui étendent leur linge ou bêchent leur jardinet. On n'y réfléchit jamais mais un ranch ressemble à une petite ville.

— Autonome et indépendante.

Il lui prit la main en songeant que ces adjectifs lui convenaient aussi bien qu'au ranch. Deux qualités, parmi d'autres, qui n'avaient pas manqué de l'attirer.

— Il faut se suffire à soi-même, n'est-ce pas ? On est si facilement coupé du monde extérieur ! Il suffit d'une tempête.

Elle ne comprit pas pourquoi il souriait mais elle poursuivit :

— Je me félicite que bon nombre de mes employés se soient mariés et établis ici. On ne peut pas vraiment compter sur les journaliers.

Jillian parcourut la cour du regard. Elle avait l'impression qu'il y manquait quelque chose. Mais, d'un haussement d'épaules, elle chassa cette sensation probablement due à l'ambiance inhabituelle.

— Ça ne va pas ? s'enquit Adam qui avait surpris son front soucieux.

— Je ne sais pas.

Elle eut, de nouveau, un haussement d'épaules et se tourna vers lui.

— Je dois être nerveuse.

Du bout des doigts, elle abaissa le rebord du chapeau d'Adam. Elle aimait l'ombre qu'il projetait sur son visage, soulignant ses contours anguleux, accentuant la profondeur de son regard.

— N'aviez-vous pas parlé de me frotter le dos ?

— Non, mais je me laisserai facilement persuader.

Elle se glissa entre ses bras ; son parfum de cuir et d'eau de toilette l'enveloppa aussitôt.

C'est alors qu'une terrible révélation s'imposa à elle. Avec un cri horrifié elle se dégagea de son étreinte et traversa la cour à toutes jambes. Adam se lança à sa poursuite.

— Jillian !

Oh, mon Dieu ! Comment ne s'en était-elle pas rendu compte tout de suite ? Elle s'immobilisa devant l'enclos vide et serra les poings.

— Mais que se passe-t-il, à la fin ?

— Le veau, marmonna-t-elle en martelant la barrière.

— Ils l'ont enlevé !

Puis son ton se fit de plus en plus véhément.

— Ils sont venus jusque dans ma cour et me l'ont volé. Dans ma propre cour !

— Peut-être qu'un de vos hommes l'a ramené dans son box.

Pour toute réponse, elle se borna à hocher la tête et continua à marteler la barrière de ses poings.

— Cinq cents bêtes ne leur suffisaient pas. Il a encore fallu qu'ils viennent réitérer leur forfait à quelques mètres de ma porte. J'aurais dû laisser Jim garder la maison. Il me l'avait proposé. J'aurais dû rester moi-même.

— Venez, allons fouiller la grange.

Il aurait préféré que sa colère éclatât plutôt que de lui voir cet air si résigné.

— Nous devons nous en assurer avant d'appeler le shérif.

— Le shérif, railla-t-elle d'un ton amer. Le shérif !

— Jillian !

Il voulut la prendre par la taille mais elle esquiva son geste.

— Rassurez-vous, cette fois-ci, je ne craquerai pas.

Sa voix tremblait légèrement. Pourtant son regard ne trahissait aucune émotion. Il comprit qu'elle s'était de nouveau repliée sur elle-même et que, malgré toute sa bonne volonté, il ne pouvait soulager sa peine.

— Allez jeter un coup d'œil dans l'étable, suggéra-t-il. Je me charge de la grange.

Jillian savait que ces recherches seraient vaines mais elle lui obéit machinalement. Le box du veau était désert. Des volutes de poussière flottaient dans un rayon de lumière. On avait volé le petit animal qu'elle s'était donné tant de mal à sauver, dans lequel elle avait mis tant d'espoir ! Mais le coupable ne s'en tirerait pas à si bon compte. Elle finirait bien par le démasquer.

Tournant les talons, elle regagna la cour. Malgré son impatience, elle attendit qu'Adam la rejoigne. Mais son air penaud se passait de tout commentaire. Ils se rendirent ensemble dans la maison.

184

Elle ne s'avoue pas vaincue, se dit-il en observant son expression déterminée. Cette constatation accrut son admiration pour la jeune femme.
Il se souvint de la façon dont elle cajolait le veau, de la tendresse qu'exprimait son regard quand elle parlait de lui. Un éleveur devait se garder de tout attachement pour ses bêtes. Mais comment ne pas se laisser attendrir par un orphelin ? Elle subissait maintenant les conséquences de sa faiblesse. Il prépara pensivement le café. Qui avait bien pu commettre l'imprudence de voler un futur champion ? Aucun éleveur de la région n'achèterait une bête aussi facilement identifiable ! Quant à la vendre pour sa viande, le risque n'en valait vraiment pas la chandelle. Un tel geste dénotait un manque de discernement ou une trop grande assurance. Dans un cas comme dans l'autre, son auteur ne tarderait pas à se trahir.

Adossée au mur de la cuisine, Jillian téléphonait au shérif. Adam aurait tant aimé la rassurer, la protéger. Elle accepta sa tasse avec un bref signe de tête en contemplant pensivement la campagne par la fenêtre de la pièce. Aimer une femme qui possédait plus de cran que la plupart des hommes ne s'avérait pas de tout repos.

— Il promet de faire tout son possible, déclara-t-elle en raccrochant. Je vais offrir une prime spéciale. Demain, je rends une nouvelle visite au syndicat des éleveurs. Je ne leur laisserai pas de répit avant qu'on ait retrouvé le veau. Je veux que les gens sachent qu'Utopia ne baisse pas les bras.

Elle contempla un instant sa tasse, puis la vida d'un trait.

— Mes voleurs négligent toute précaution.

Mais je vais leur montrer que je ne suis pas une faible femme dont on peut se moquer impunément.

L'intonation de Jillian arracha un sourire à Adam.

— Vous avez raison, dit-il en se tournant vers elle.

— Qu'y a-t-il de si comique?

— Je pensais que s'ils pouvaient vous entendre, ils quitteraient la région sans demander leur reste!

Ce compliment la ragaillardit.

— Merci... Décidément, je passe mon temps à vous remercier en ce moment.

— Rien ne vous y oblige. Vous avez faim?

— Hmm.

Elle se frotta l'estomac d'un air indécis.

— Je ne sais pas.

— Allez prendre un bain. Je vais essayer de préparer quelque chose.

Jillian s'avança vers lui et glissa les bras autour de sa taille pour appuyer la tête contre son torse. Comment pouvait-il si bien la connaître? Comment avait-il deviné qu'elle avait besoin d'un peu de solitude pour mettre de l'ordre dans ses idées?

— Pourquoi tant d'attentions? murmura-t-elle.

Avec un petit rire, Adam enfouit son visage dans les cheveux de la jeune femme.

— Dieu seul le sait! Allez soigner vos blessures.

— D'accord.

Elle ne put s'empêcher de l'étreindre tendrement avant de quitter la pièce.

Elle aurait aimé lui exprimer sa gratitude.

186

Mais les mots lui manquaient. Que ne pouvait-elle lui dire à quel point elle appréciait sa délicatesse? Il lui apportait son soutien sans s'imposer, ne lui offrait pas plus qu'elle n'était en mesure d'accepter. Il lui avait fallu un certain temps pour vaincre ses préjugés à son égard. Mais maintenant qu'elle connaissait sa valeur elle ne l'oublierait pas.

Comme elle ôtait ses vêtements, elle découvrit les ecchymoses qui constellaient son corps. Qu'importe! Elles la distrairaient des blessures beaucoup plus profondes qui meurtrissaient son âme. Car elle ne pouvait se défaire d'un doulou-reux sentiment de culpabilité. En lui léguant le ranch, son grand-père lui avait accordé une confiance dont elle se montrait indigne.

Avec une petite grimace, elle s'enfonça dans la baignoire. Bien vite, elle oublia les picotements que l'eau réveillait. Un de ses propres hommes? Malheureusement cette possibilité n'était pas à exclure. Rien de plus facile que de charger le veau dans une camionnette et de disparaître.

Elle se promit d'effectuer une enquête dis-crète. Il lui suffisait de demander qui s'était absenté de la fête pendant le laps de temps assez long qu'avait nécessité l'opération. Peut-être les coupables commettraient-ils l'imprudence de dépenser leur argent inconsidérément et alors... et alors ils verraient de quel bois elle se chauf-fait!

Pauvre petite bête! Personne ne lui prodigue-rait plus aucune caresse, ne lui manifesterait de tendresse. Elle s'enfonça dans l'eau chaude jus-qu'au cou pour tenter de se détendre.

Plus d'une heure s'était écoulée lorsqu'elle rejoignit Adam. Le bain avait apaisé sa douleur et calmé ses angoisses. Aussi le délicieux fumet qui provenait de la cuisine lui ouvrit-il aussitôt l'appétit. Elle pénétra dans la pièce mais à sa grande surprise n'y trouva personne. Une marmite mijotait sur le gaz, laissant échapper de petits nuages de vapeur. La jeune femme ne put s'empêcher d'en soulever le couvercle et découvrit un *chile* onctueux et parfumé, qui lui mit l'eau à la bouche. S'emparant d'une cuiller en bois, elle se mit à remuer la préparation qu'elle goûta au passage.

— Maman me tapait sur les doigts quand elle me prenait sur le fait.

Surprise, la jeune femme laissa échapper le couvercle qui retomba bruyamment.

— Murdock ! Vous m'avez fait une peur bleue !

Elle pivota sur elle-même et se trouva nez à nez avec un bouquet de fleurs des champs. Lorsqu'il lui sourit, son cœur chavira.

Elle semblait pétrifiée mais ce n'était pas pour lui déplaire. On ne prenait pas souvent au dépourvu une femme de la trempe de Jillian Baron. Comme il l'observait, elle dissimula ses mains derrière son dos pour qu'il ne surprenne pas leur léger tremblement. Adam haussa un sourcil intrigué. S'il avait su que quelques fleurs la troubleraient à ce point, il en aurait fait une moisson. Il s'avança vers elle.

— Vous vous sentez mieux ?

Elle battit instinctivement en retraite.

— Oui, merci.

— On ne dirait pas, dit-il, amusé par son air étonné.

— Si, si je vous assure ! Le *chile* sent rudement bon.

— Une recette que j'ai apprise dans les campements, il y a quelques années.

Il inclina la tête et déposa un baiser au coin de ses lèvres.

— Vous ne voulez pas de mes fleurs ?

— Si, je...

Elle prit conscience qu'elle gardait obstinément les mains derrière le dos. Alors, au prix d'un immense effort, elle parvint à se maîtriser et accepta son présent.

— Elles sont ravissantes.

— Leur parfum me rappelle l'odeur de vos cheveux, murmura-t-il.

Aussitôt, la jeune femme lui adressa un regard soupçonneux.

— On dirait que personne ne vous a jamais offert de fleurs.

Pas depuis des années, songea-t-elle. Des bouquets enrubannés accompagnés de mots doux auxquels elle avait eu la faiblesse de croire. Jugeant ses hésitations ridicules, elle haussa les épaules.

— Des roses, répondit-elle d'un air détaché. Des roses rouges...

Il devina l'amertume qui perçait dans sa voix. Alors, avec une douceur infinie, il enroula une de ses mèches autour de son doigt. Elle avait la couleur de la flamme, la texture de la soie.

— Classique, beaucoup trop classique.

Quelque chose se brisa en elle. Avec un long soupir, elle baissa les yeux sur le petit bouquet qu'elle tenait dans la main.

— J'ai cru autrefois que je pourrais me conformer à cette image.

— Aimiez-vous l'auteur de ces présents ?

Pourquoi retournait-il ainsi le couteau dans la

189

plaie? Il n'aurait su le dire mais il ne pouvait s'en empêcher. Peut-être se sentait-il lui-même meurtri?

— Adam...

— Répondez-moi.

D'un geste machinal, elle remplit d'eau un vase.

— J'étais très jeune. Il ressemblait beaucoup à mon père : calme, méticuleux, dévoué. En faisant sa conquête, je croyais peut-être obtenir enfin cette affection dont mon père était si avare. Je ne sais pas, j'étais idiote.

Adam découvrait le goût amer de la jalousie. Mais il comprit que cette triste expérience résumait en fait l'enfance de Jillian, l'incompréhension dont elle avait tant souffert, ses vaines tentatives pour combler les espoirs de ses parents, pour mériter cette tendresse qui lui était cruellement refusée. Cependant, son échec, aussi douloureux fût-il, lui avait permis de prendre conscience que sa place n'était pas dans un monde sophistiqué mais bien au contact de la terre et des valeurs éternelles qui y étaient ancrées. Dans une certaine mesure, c'est à cette déception qu'il devait de l'avoir rencontrée. Cette constatation effaça aussitôt sa rancœur.

— Si nous mangions, suggéra-t-elle.

Elle se raidit lorsque les mains d'Adam se posèrent sur ses épaules mais elle ne résista pas quand il l'attira contre lui.

Elle craignit un moment qu'il n'essaie de la consoler, car la moindre marque de compassion aurait déclenché les larmes qui brouillaient sa vue. Mais il se contenta de la serrer dans ses bras et de l'embrasser avidement.

Aussitôt, l'ardeur d'Adam suscita en elle un

190

désir qui balaya toute tristesse. Elle ne redoutait plus de céder au désarroi tant la flamme brûlante de la passion envahissait son corps et son esprit.

— Hâtons-nous de manger, déclara-t-il enfin en abandonnant ses lèvres. Ensuite, nous pourrons passer aux choses sérieuses.

— Et si nous brûlions les étapes ?

— Pas question. Vous n'allez pas me faire l'affront de bouder un repas que je vous ai préparé avec amour.

D'une gentille tape sur les reins, il l'obligea à s'installer à table.

— Hmm, ça a l'air délicieux ! Vous voulez une bière ?

— Volontiers.

Elle en prit deux dans le réfrigérateur et en remplit leurs verres.

— Vous savez, si vous envisagez un jour d'abandonner l'élevage, je vous engage comme cuisinier.

— Je vous promets d'y réfléchir.

— Actuellement nous avons une cantinière. Tout le monde l'appelle tante Sally. Elle n'a pas son pareil pour préparer les biscuits.

Elle s'interrompit pour avaler la première bouchée de viande épicée. Aussitôt, elle eut l'impression qu'un volcan faisait irruption dans sa gorge.

— Vous avez eu la main lourde sur le piment ! déclara-t-elle.

— C'est ce qui distingue les hommes des fillettes, répondit-il d'un ton sarcastique. Est-ce trop fort, à votre goût ?

— Rien de ce que vous pourrez cuisiner ne

sera trop épicé pour moi, rétorqua-t-elle avec dédain.

Il éclata de rire et continua à manger. Jillian constata que son palais s'habituait au piment. Finalement, elle savoura ce plat inattendu.

— Tous ces gens, en ville, ne savent pas ce qu'ils manquent, dit-elle. On n'a pas souvent l'occasion de goûter à une nitroglycérine aussi savoureuse.

— Je vous ressers ?

— Merci, je tiens à rester en vie. Quelques jours de ce régime et les maux d'estomac disparaissent avec leur principal responsable : l'estomac lui-même ! Je devrais suggérer ce traitement à mon père.

— Nous avions un contremaître mexicain quand j'étais enfant, confia Adam en riant. Le meilleur cow-boy que j'aie jamais vu. Je l'ai accompagné tout un été dans les pâturages. C'est lui qui m'a initié à l'art culinaire.

Décidément, Jillian allait de surprise en surprise avec Adam.

— Qu'est-il devenu ?

— Il a économisé sou par sou et il est retourné au Mexique pour monter son propre ranch.

— Le rêve impossible, murmura la jeune femme.

— En effet. Rien de plus facile que de perdre sa paie d'un mois au poker.

Elle acquiesça mais son visage se fit soudain plus grave.

— Jouez-vous ?

— Je ne résiste jamais à une bonne partie. Et vous ?

— Clay m'a communiqué sa passion pour les

192

cartes. Et je crois que je vais bientôt mettre à profit ses enseignements.

— De quelle façon ?

— Mes voleurs vont apprendre ce qu'il en coûte de sous-estimer la valeur de l'adversaire. Ils ont commis une énorme erreur en s'attaquant au veau. Je leur laisserai croire qu'ils ont gagné la partie et j'attendrai le moment propice pour abattre mon jeu. J'envisage même d'engager un détective privé.

Il se tut un instant et la regarda débarrasser la table.

— Toutes ces dépenses doivent sérieusement grever votre budget.

— Je préfère payer que de continuer à tendre l'échine.

Il se garda bien de lui proposer un soutien financier. Il connaissait d'avance sa réponse. Alors, il se leva et se mit à arpenter la cuisine. Puis il s'immobilisa derrière elle.

— Le syndicat des éleveurs vous accordera une subvention.

— Pour cela il faudrait que je les mette au courant, ce qui compromettrait mes chances de succès.

— Laissez-moi vous aider.

Elle se retourna, émue, et lui enlaça la taille.

— Vous m'avez déjà aidée. Je ne l'oublierai pas.

— Faut-il que je vous ficelle comme un saucisson pour que vous cessiez de repousser mon concours ?

Devant son air boudeur, elle éclata de rire.

— Si je vous offrais quelques hommes pour surveiller vos clôtures...

— Adam.

— Vous voyez, vous ne me laissez même pas finir. Je pourrais au moins travailler pour vous jusqu'à ce que l'affaire soit réglée.

— Je ne peux pas accepter...

Mais elle ne termina pas sa phrase : les lèvres d'Adam l'en empêchèrent.

— Dois-je me contenter d'observer vos démêlés sans même intervenir ? s'enquit-il tandis que ses mains parcouraient son corps. Vous n'imaginez pas à quel point cette impuissance me ronge.

Elle tenta de se concentrer sur ses paroles mais sa bouche monopolisa de nouveau toute son attention. Ce baiser brûlant lui coupa le souffle. Pourtant, elle s'agrippa à lui pour le prolonger. Chaque fois qu'il la prenait dans ses bras, un désir irrépressible l'envahissait aussitôt, la libérait de ses préoccupations tout en la soumettant à ses sens. Mais elle acceptait les chaînes que lui imposait la passion sans pour autant renoncer à sa soif de liberté.

Oui, voilà ce qu'il pouvait faire pour elle : l'aider à oublier, à chasser ses problèmes, même provisoirement. Et il savait que si elle en avait eu la force, elle aurait également refusé ce réconfort. Car elle se sentait encore trop vulnérable pour accorder sa confiance à quiconque. Non, il ne connaissait qu'un moyen pour l'obliger à se livrer sans restriction. Alors il la souleva dans ses bras et étouffa ses objections d'un langoureux baiser.

Jillian comprit où il l'emmenait. Elle eut un mouvement de révolte instinctif. Pourtant, au plus profond d'elle-même, elle savait qu'elle avait envie de le suivre n'importe où. Mais elle redoutait les situations romantiques. Car il était si facile de se laisser bercer par des mots doux à la lueur des bougies, de se laisser enivrer par le parfum d'un bouquet de fleurs. Pouvait-elle encore se fier à ce rempart d'insensibilité qu'elle avait patiemment érigé au fil des années ? Non, pas avec lui.

— J'ai envie de vous.

Les mots s'échappèrent de ses lèvres et vinrent mourir contre celles d'Adam.

Il avait l'intention de la conduire jusqu'à la chambre. Mais la distance était trop grande. Sans quitter ses lèvres, il la déposa sur le sofa afin de donner libre cours à l'incendie qui couvait en eux.

Cette impétuosité la rassura. Elle était réelle, tangible. La fougue de ses lèvres, la fébrilité de ses doigts sur son corps ne laissaient subsister aucun doute. Elle sentait le désir bouillonner dans les veines d'Adam, son cœur répondre aux battements effrénés de son propre cœur. Et même ces mains fiévreuses qui la déshabillaient rendaient un vibrant hommage au pouvoir qu'elle détenait sur lui.

Lorsque les paumes brûlantes d'Adam se posèrent enfin sur sa peau nue, elle eut l'impression de dériver hors du temps, hors de l'espace, dans un univers magique fait de sensations pures. Chaque caresse l'emportait encore un peu plus loin de ce monde ordonné et pratique qu'elle avait construit autour d'elle. Adam dut faire un violent effort pour maîtriser ses élans. Elle s'offrait à lui avec un tel abandon, une telle ivresse, qu'il mourait d'envie d'assouvir son désir. Jamais une femme n'avait eu une telle emprise sur lui. Un seul mot, un seul regard auraient suffi pour qu'il lui appartienne totalement. Comment ne s'en rendait-elle pas compte ? Son corps ondulait, fluide comme de l'eau, grisant comme du vin.

Il enfouit ses lèvres au creux de sa gorge pour reprendre son souffle. L'odeur de son eau de toilette se mêlait au parfum suave de sa peau. C'est alors qu'il se souvint de ses blessures.

— Je ne vous fais pas mal ? s'enquit-il, soudain inquiet.

— Non.

Elle le serra de nouveau contre lui.

— Je ne suis pas si fragile, vous savez !

Il se souleva sur les coudes pour la contempler.

Comment ne pas qualifier de fragile l'ovale parfait de son visage, la courbe délicate de son cou, sa peau diaphane ? Et cet éclat qui brillait dans son regard quand il la tenait dans ses bras ne trahissait-il pas sa vulnérabilité ?

— Cela vous arrive parfois, murmura-t-il. Je vais vous en donner la preuve.

— Non !

Mais, sans tenir compte de ses protestations, il laissa ses lèvres errer sur son corps, en tracer les contours comme s'il ne pouvait se contenter de l'image qu'en gardaient ses yeux. Ses caresses se firent plus précises, plus délicieuses encore.

Existait-il des plaisirs qu'il ne lui ait pas encore révélés ? se demanda-t-elle. Elle aurait tant aimé lui rendre ses baisers. Mais, emportée par le tourbillon sensuel qu'il provoquait en elle, ses forces l'avaient abandonnée. Elle ne parvenait pas à chasser cette voluptueuse torpeur qui l'enveloppait.

Grisé par le goût de sa peau, sa texture soyeuse sous ses doigts fiévreux, Adam poursuivait son délicieux manège. Seuls, des soupirs langoureux venaient troubler le silence dans lequel ils baignaient. Le soleil dardait ses rayons obliques dans la pièce et marquait l'inexorable fuite du temps. Jamais il ne s'était senti aussi proche d'elle.

Patiemment, irrésistiblement, il l'entraîna aux confins de la lucidité puis, quand il comprit qu'elle ne pourrait l'attendre davantage, il s'unit enfin à elle. Ils franchirent ensemble les sommets de l'amour, au terme d'un délicieux périple qui les laissa pantelants et comblés.

Etendue sous lui, Jillian observait l'obscurité envahir le ciel. Elle avait l'impression d'avoir rêvé. Pourquoi était-elle encore plus bouleversée qu'après le feu d'artifice de leurs nuits précédentes ? Elle sentait confusément qu'elle venait de vivre une expérience nouvelle et encore plus dangereuse.

Adam se laissa glisser sur le côté et l'attira de nouveau contre lui.

— Ce n'était pas comme les autres fois, murmura-t-elle.

— Non, répondit-il d'une voix émue.

Elle mourait d'envie de rester auprès de lui, docile et dépendante. Pour cette raison, sans doute, elle s'écarta.

— Je ne sais jamais ce que je dois faire avec vous.

Elle eut l'intuition soudaine qu'il lui fallait jouer serré.

— Comment ça ?

Avec réticence, elle se leva et enfila sa chemise.

— Vous êtes insaisissable, Adam Murdock. Chaque fois que j'ai l'impression de vous connaître enfin, je découvre quelqu'un d'autre.

— Mais c'est faux ! s'écria-t-il en l'attrapant

par le pan de sa chemise avant qu'elle ait pu la boutonner. Je suis toujours le même.

— Peut-être...

Elle déposa un baiser sur sa main, ce qui eut le don de le déconcerter.

— Mais je n'arrive tout de même pas à vous comprendre.

— Est-ce vraiment nécessaire ?

— Je suis quelqu'un de très simple.

Il la contempla un instant, bouche bée, tandis qu'elle achevait de s'habiller.

— Vous plaisantez !

Elle nota son ton moqueur et lui adressa un regard mi-rieur, mi-sérieux.

— Pas du tout. J'ai besoin de savoir où j'en suis, quels sont mes choix et ce qu'on attend de moi. Je veux pouvoir faire mon travail et veiller sur ce qui m'appartient. Je n'en demande pas plus.

Il l'observa pensivement tout en passant son jean.

— Seul votre travail vous intéresse ?

— Je ne connais rien d'autre. J'aime la terre.

— Et les gens ?

— Je ne sais pas m'y prendre avec les gens, la plupart des gens. A moins que je les comprenne.

Adam mit sa chemise mais ne prit pas la peine de la boutonner.

— Et je fais partie de ceux que vous ne comprenez pas, dit-il en s'avançant vers elle.

— Parfois, seulement, murmura-t-elle. C'est quand je vous en veux que je vous comprends le mieux. Les autres fois...

Elle avait l'impression de perdre pied et elle tenta d'éviter son regard.

— Les autres fois ? demanda-t-il en l'attrapant par les épaules.

— Les autres fois, je ne sais pas. Je ne m'attendais pas à éprouver pour vous ce genre de sentiment.

Adam caressa du pouce le creux de ses bras. Elle sentit qu'il tremblait légèrement.

— Quel genre de sentiment, Jillian ?

— Je ne pensais pas que nous deviendrions amants. Je ne pensais pas ressentir pour vous un tel...

Pourquoi son cœur battait-il ainsi à tout rompre ?

— Un tel désir, acheva-t-elle.

Elle essayait de paraître calme et ses vains efforts l'émurent au plus haut point.

— Je vous ai désirée dès l'instant où je vous ai vue pour la première fois. Pourtant, je n'imaginais pas que votre peau serait si douce, vos lèvres si soyeuses.

— Adam...

Il hocha la tête pour l'empêcher de l'interrompre.

— Je ne m'attendais pas à penser à vous jour et nuit, à tressaillir au seul son de votre voix quand vous prononcez mon nom.

— Je vous en prie.

Elle se dégagea mais il avait déjà surpris les battements effrénés de son cœur.

— Bon sang, Jillian ! Il est temps que vous entendiez ce que je meurs d'envie de vous dire depuis des jours : je vous aime, Jillian.

— Non, ne vous croyez pas obligé de me faire des déclarations ! rétorqua-t-elle, prise de panique. Je vous l'ai déjà dit, je ne me fie pas aux beaux discours. Pourquoi vouloir, à tout prix, mélanger le désir et les élans de cœur ?

— Car pour vous il ne peut être question que d'attirance physique, n'est-ce pas ?

Jamais il n'avait subi un tel affront ni éprouvé une telle douleur. Il venait d'avouer sa flamme à une femme, la seule femme qu'il ait jamais aimée. Et elle lui répondait froidement qu'elle ne voulait pas de son amour, qu'elle n'attendait de lui que du plaisir.

— Répondez-moi, Jillian.

— Non, c'est faux ! Mais je pensais que vous...
Oh ! Pourquoi fallait-il qu'il gâche tout ? Juste au moment où elle croyait enfin avoir compris ce qu'ils pouvaient s'apporter mutuellement.

— Je ne sais pas ce que vous voulez, mais ne me demandez pas ce que je ne puis vous donner.

L'étreinte de ses doigts autour des bras de la jeune femme se relâcha progressivement. Puis il reboutonna sa chemise avec une apparente indifférence.

— Je crois qu'il y a quelque chose de glacé en vous. Si vous ne recherchez qu'un peu de chaleur et de compagnie, vous ne devriez pas avoir trop de mal à obtenir satisfaction. Personnellement, cela ne me suffit pas.

Elle le vit franchir la porte, entendit le ronflement du moteur qui brisait le silence. Le soleil venait juste de disparaître derrière l'horizon.

Chapitre 12

Adam passa les trois semaines suivantes avec ses
hommes dans les pâturages. Il chevauchait du
matin au soir, avalait plus de poussière que de
nourriture. Mais, même lorsque épuisé de fatigue, il regagnait le campement et non le ranch,
l'image de Jillian ne cessait de le hanter.

Dès qu'il avait le dos tourné, ses hommes se
plaignaient de son humeur taciturne. Il devait y
avoir une femme là-dessous. Seule une de ces
créatures pouvait ainsi pousser un homme au
bord du désespoir ! Le nom de Jillian Baron était
sur toutes les lèvres. Mais les Baron et les
Murdock n'avaient jamais fait bon ménage. Une
telle alliance ne pouvait rien donner.

Si les commentaires parvenaient aux oreilles
d'Adam, il n'en laissait rien paraître. Il était
venu au camp pour travailler et il avait bien
l'intention de se consacrer entièrement à sa
tâche. Rien de tel que l'activité physique pour
chasser les sombres pensées. Il n'allait tout de
même pas ramper devant une femme.

Adam planta un nouveau piquet dans le sol. La
sueur inondait son dos. Puisqu'elle ne voulait
pas de son amour, il l'offrirait à d'autres. Il
aimait pour la première fois, certes, mais cela ne
signifiait pas qu'il n'aimerait plus jamais.

Mais où était-il allé chercher cette soi-disant

fragilité, cette prétendue vulnérabilité qu'il lui prêtait ? Jillian était dure comme le roc, froide comme un bloc de glace. Elle ne se préoccupait que de son propre intérêt, se souciait davantage de son bétail que des sentiments qu'on pouvait lui porter.

Pourtant il était malade d'amour pour elle. Il empoigna le barbelé avec une telle rage que les pointes de métal déchirèrent son gant de cuir et s'enfoncèrent dans sa peau. Il poussa un juron. Il fallait qu'il surmonte sa douleur.

Marquant une pause, il parcourut des yeux la campagne qui l'entourait. Son domaine. Les collines verdoyantes s'étendaient à perte de vue. Le soleil brillait dans un ciel sans nuage. Ces centaines d'hectares ne suffisaient-elles pas à son bonheur ? Ses bêtes étaient grasses et bien portantes, les veaux grandissaient à vue d'œil. Dans quelques semaines, ils les rassembleraient pour les conduire à Miles City. Quand tout serait terminé, les hommes fêteraient dignement le couronnement de ces mois d'effort. Et lui aussi, se promit-il, la mine sombre, lui aussi !

Oh, grands Dieux ! Il aurait donné la moitié de ce qu'il possédait pour cesser de penser à elle un seul jour !

Quand le crépuscule arriva, il prit une douche dans la cahute aménagée à cet effet afin de se débarrasser de la poussière et de la sueur de la journée. Une bonne odeur de viande grillée flottait dans l'air. Un cow-boy chantait une complainte triste en s'accompagnant à la guitare.

Malgré toute l'énergie qu'il avait dépensée, il n'avait aucun appétit. Mais il savait qu'il devait manger s'il voulait reprendre des forces. Après avoir avalé tant bien que mal son repas, il s'installa à l'écart du feu de camp avec un pack de bières tandis que les hommes s'apprêtaient à disputer la rituelle partie de poker. Il s'adossa à un arbre et tenta de faire le vide dans son esprit. Mais, inlassablement, les images défilaient devant ses yeux...

Jillian écumante de rage après son plongeon dans l'étang, Jillian berçant tendrement le petit veau dans l'étable, Jillian pleurant dans ses bras la perte de son bétail, Jillian tendresse, Jillian colère. Mais malgré son caractère versatile, il ne pouvait s'empêcher de l'aimer. Adam but une longue gorgée de bière. Il n'avait jamais éprouvé de penchant particulier pour les chagrins d'amour. Il les laissait volontiers aux poètes. Oui, mieux valait tourner la page. Mais à peine avait-il pris cette décision qu'il étouffa un juron. Qui croyait-il tromper? Elle le désirait. Peut-être pas comme il l'aurait voulu mais il savait qu'il ne lui était pas indifférent. Pour la première fois depuis des semaines, il se mit à réfléchir posément.

Peut-être, après tout, avait-il abandonné la partie trop tôt? Il s'était avoué vaincu avant même d'abattre son jeu. Cela ne lui ressemblait pas. Il rejeta pensivement son chapeau en arrière et se mit à contempler les étoiles. La jeune femme était trop habituée à ce qu'on cède à tous ses caprices. Il était grand temps qu'on lui tienne tête.

Non, il ne se mettrait pas à genoux pour implorer son pardon. Mais il retournerait la voir, se promit-il avec un sourire perfide. Elle lui donnerait du fil à retordre mais il finirait bien par avoir le dernier mot.

— Décidément, la chance ne me sourit pas.

Il baissa les yeux et vit Jennsen se diriger vers lui. Il lui offrit une bière tout en traçant mentalement son portrait. Le cow-boy travaillait au Double M depuis un an seulement, mais ce n'était pas un novice. Il se montrait solitaire et peu enclin à la confidence. Seules ses bottes éculées et sa selle patinée par des années de chevauchées témoignaient de son passé. Adam ne lui donnait pas d'âge mais il devinait aux profonds sillons qui soulignaient son regard terne qu'il avait enduré le soleil de nombreux étés sur des terres qui ne lui appartenaient pas.

— Le jeu ne veut pas venir ? s'enquit-il d'un ton affable tandis que l'homme se roulait une cigarette.

Il n'omit pas de noter que les doigts de Jennsen tremblaient légèrement.

— Non, et ça dure depuis des semaines.

Le cow-boy frotta une allumette avec un petit rire.

— Malheureusement, je ne sais pas résister à une bonne partie.

Il avala une longue gorgée de bière et lui jeta un regard en coin. De toute évidence, il se donnait du courage pour aborder le sujet qui le préoccupait.

— Par contre, j'ai l'impression que vous, vous gagnez souvent.

— Je ne me plains pas, répondit Adam.

Une avance ou un prêt, voilà où il voulait en venir.

— La chance est capricieuse, déclara Jennsen en s'essuyant la bouche du revers de la main. On ne peut pas dire qu'elle ait beaucoup souri aux Baron ces derniers temps. Je parle du vol de bétail, poursuivit-il pour répondre au regard interrogateur d'Adam. Quelqu'un a dû toucher un joli bénéfice au passage.

La voix du cow-boy trahissait une certaine amertume. D'un air détaché, Adam fit sauter la capsule d'une nouvelle bouteille et la lui offrit.

— Rien de plus facile que de faire du bénéfice quand on n'a pas payé la marchandise. En tout cas, celui qui a commis le larcin a fait du beau travail.

— Eh oui !

Jennsen aspira une longue bouffée. Il avait entendu parler d'une liaison possible entre Adam et Jillian Baron mais il ne prêtait pas foi à ces rumeurs. La rivalité entre les deux familles durait depuis bien trop longtemps pour cesser aussi brutalement. Et puis une telle éventualité aurait contrarié ses projets.

— Je suppose que, de l'autre côté de la clôture, personne ne se soucie de ce qui peut arriver aux Baron.

Adam étira ses jambes avant de les croiser. Le rebord de son chapeau dissimulait son regard.

— Chacun pour soi, marmonna-t-il.

Jennsen s'humecta les lèvres.

— On dit que votre grand-père ne se gênait pas pour se servir dans le cheptel d'Utopia.

— Des histoires, rétorqua-t-il sans se compromettre.

Jennsen avala une nouvelle gorgée de bière.

— Il paraît qu'on leur a volé un veau à leur nez et à leur barbe. Un petit de leur fameux champion.

— Un joli coup !

Adam commençait à comprendre que Jennsen ne cherchait pas à obtenir une avance.

— J'espère qu'ils ne vont pas le vendre pour la viande, ajouta-t-il. Il promet de devenir aussi beau que son père. Ce serait dommage de gâcher un tel potentiel !

— Je me suis laissé dire, marmonna Jennsen d'une voix hésitante, que vous aviez des vues sur le taureau des Baron.

Adam rejeta son chapeau en arrière et lui décocha un large sourire.

— Je suis toujours à l'affût d'une bonne affaire. En auriez-vous une à me proposer ?

Jennsen scruta un instant son visage.

— Peut-être.

Jillian ralentit en passant devant la petite maison blanche. Vide. Quoi d'étonnant ? Même s'il était rentré des pâturages, il ne serait pas chez lui en plein milieu de journée. D'ailleurs, que faisait-elle sur la terre des Murdock alors que tant de travail l'attendait sur son propre domaine ? Elle n'aurait pas dû venir. Pourtant, s'il tardait encore à regagner le ranch elle risquait de se couvrir de ridicule en allant le rejoindre au campement.

Jamais elle n'avait passé trois semaines plus épouvantables que celles qui venaient de s'écouler. Elle avait tout fait pour se persuader qu'elle ne l'aimait pas mais quand il était parti quelque chose s'était brisé en elle.

Comment avait-elle pu tomber amoureuse d'un homme aussi indépendant, aussi entêté. Tomber amoureuse ! Cette expression illustrait à merveille la sensation de chute qu'elle éprouvait. Mais peut-être était-il sincère ? Peut-être ses paroles n'étaient-elles pas vides de sens ? S'il partageait son amour, ne pourrait-elle prendre appui sur lui pour freiner sa chute ? Elle poussa un long soupir et rangea sa voiture devant le porche du Double M. Mais s'il l'aimait vraiment, pourquoi n'était-il pas là ? Elle n'aurait jamais dû se laisser aller à dépendre de lui. On était toujours déçu quand on faisait confiance aux gens. Ils vous repoussaient ou se détournaient de vous. Mais si seulement elle pouvait le revoir ne serait-ce qu'un instant...

— Vous comptez passer la matinée dans votre Jeep ?

La jeune femme sursauta et se tourna vers la véranda. Paul Murdock s'avançait vers elle d'un pas hésitant. Elle sortit du véhicule et gravit les marches du perron en cherchant l'excuse qu'elle allait bien pouvoir lui fournir.

— Asseyez-vous, ordonna-t-il sans lui laisser le temps de se justifier.

Il lui indiqua une table de jardin entourée de sièges.

— Karen prépare du thé.

— Merci.

Elle prit place sur une chaise et chercha désespérément quelque chose à lui dire.

— Il n'est pas encore rentré, déclara Murdock en s'installant dans un rocking-chair. Pas la peine de feindre, jeune fille. J'ai beau être vieux, je ne suis pas aveugle. A quel jeu jouez-vous tous les deux ?

— Paul !

Karen apparut sur la véranda, chargée d'un service à thé.

— La vie privée de Jillian ne te regarde pas.

— Sa vie privée, railla-t-il tandis que sa femme disposait le plateau sur la table. Elle tourne autour de mon fils.

Jillian bondit sur sa chaise.

— Je ne tourne autour de rien ni de personne !
Quand je veux quelque chose je vais toujours
droit au but.

Il se renversa sur son siège en éclatant de rire.

— Vous me plaisez, jeune fille. Elle a un joli
minois, tu ne trouves pas, Karen ?

— Elle est ravissante.

— Merci.

Quelque peu radoucie, la jeune femme se
rassit.

— Je voulais simplement rappeler à votre fils
sa promesse à propos de Samson et de Dalila.

— Ne me dites pas que vous n'avez pas pu
trouver un meilleur prétexte ?

— Paul, je t'en prie.

Karen s'assit sur le bras du fauteuil et posa
une main sur l'épaule de son mari.

— Osez prétendre que mon garçon ne vous
intéresse pas, lança-t-il en pointant sa canne
dans la direction de la jeune femme.

— Monsieur Murdock, rétorqua Jillian avec
une politesse glacée, Adam a pris certains enga-
gements...

— Je n'ai pas de temps à perdre en balivernes,
coupa-t-il. Maintenant, jeune fille, si vous me
regardez droit dans les yeux et que vous soute-
nez que vous n'éprouvez aucun sentiment pour
mon fils, je n'insisterai pas et nous pourrons
parler du temps.

Jillian ouvrit la bouche puis la referma avec
un soupir résigné.

— Quand rentre-t-il ? murmura-t-elle. Voilà
trois semaines que je suis sans nouvelles.

— Il reviendra quand il cessera d'être aussi
entêté que vous.

208

— Je ne sais que faire.

A peine les mots s'étaient-ils échappés de ses lèvres qu'elle ouvrit de grands yeux. Jamais elle n'avait avoué ouvertement son impuissance.

— Que voulez-vous exactement ? s'enquit gentiment Karen.

Jillian leva les yeux et les observa tous les deux. Le vieil homme et sa ravissante épouse. Leurs mains jointes sur le pommeau de la canne. Rares étaient les fois où elle avait ainsi contemplé le spectacle de l'intimité parfaite que procure un amour sans partage. Et elle prit conscience, avec une soudaine appréhension, qu'elle espérait justement connaître cela avec Adam.

— Je cherche encore.

— Si je ne m'abuse, déclara Paul Murdock en désignant la Jeep du menton, ce véhicule vous conduira sans mal jusqu'à son campement.

— Je ne peux pas faire les premiers pas. Notre relation serait faussée d'avance.

— Quelle tête de mule ! grommela Murdock.

Mais un bruit de moteur les interrompit. Quand elle reconnut Jim au volant, la jeune femme descendit les marches du perron en fronçant les sourcils.

— Madame Murdock.

Il souleva poliment son chapeau mais ne sortit pas de la voiture.

— Monsieur. J'ai du nouveau, poursuivit-il à l'adresse de Jillian.

— Que se passe-t-il ?

— Le shérif vient d'appeler. On a repéré le veau à une centaine de kilomètres au sud. Il veut que tu viennes l'identifier.

209

Les mains de la jeune femme se crispèrent sur les montants de la fenêtre ouverte.

— Où ça ?

— Au ranch du vieux Larraby. Je t'y conduis tout de suite.

— Laissez votre Jeep ici, offrit Murdock en se levant. Un de mes hommes vous la ramènera.

— Merci.

Sans perdre une minute, elle prit place à côté de Jim.

— Allons-y. Qui a prévenu le shérif ? s'enquit-elle tandis qu'ils franchissaient le portail du ranch.

— Adam Murdock.

— Adam ?

— En personne, répondit-il, ravi de l'effet que cette révélation produisait sur la jeune femme.

— Mais comment a-t-il pu... ? Il n'a pas quitté son campement depuis des semaines !

— Si tu me laissais parler, je te l'expliquerais.

Elle parvint à grand-peine à calmer son impatience. Elle se cala sur son siège et croisa les bras.

— Je t'écoute.

— Apparemment, un des hommes de Murdock avait participé au vol. Un type du nom de Jennsen. Il n'était pas satisfait de sa part qu'il a d'ailleurs perdue au jeu. Il s'est dit que s'ils avaient pu voler impunément cinq cents bêtes, il n'aurait aucun mal à en chiper une de plus.

— Le petit !

— Exact. Il a tout de suite compris la valeur de l'animal et il l'a emmené chez Larraby en attendant de le négocier. Il avait travaillé dans ce ranch avant que le vieux ne fasse faillite. Ses anciens compères ont eu vent de l'affaire et il a décidé de se débarrasser du veau au plus vite.

Hier soir, il a essayé de le vendre à Adam Murdock.

Un service à rajouter à la longue liste de ceux qu'Adam lui avait déjà rendus. Difficile de se mesurer à armes égales avec un homme quand on croulait ainsi sous les dettes.

— S'il s'agit bien du veau et que ce Jennsen est coupable nous ne tarderons pas à mettre la main sur le reste de la bande.

— Le shérif a déjà remonté la filière. Il a arrêté Joe Carlson.

— Comment ?

Abasourdie, la jeune femme pivota sur son siège pour regarder Jim, l'air hagard.

— Joe Carlson ?

— Il s'est acheté des terres dans le Wyoming. D'après ce que j'ai pu comprendre, plusieurs centaines de tes bêtes s'y trouvent déjà.

— Joe !

De nouveau, elle fixa la route. Voilà qui lui apprendrait à se fier aux gens. Et elle qui se vantait de son intuition ! Clay ne voulait pas de lui mais elle avait insisté. Une de ses premières décisions importantes à Utopia et une des plus graves erreurs !

— Il m'a bien eu, moi aussi, marmonna Jim comme s'il lisait dans les pensées de la jeune femme. Ah ça, il s'y connaissait en bétail ! Mieux que moi en hommes.

— C'est moi qui l'ai engagé, murmura Jillian.

— Mais j'ai travaillé avec lui. Et je ne me suis jamais douté qu'il jouait un double jeu. Il m'a bien roulé, grommela-t-il. Moi, Jim Haley !

Son air outragé eut le don de dérider Jillian. Après tout, il était trop tard pour regretter. Elle allait récupérer ses bêtes et veiller à ce que justice soit faite. Aux enchères de Miles City, elle réaliserait le bénéfice escompté. Peut-être pourrait-elle enfin s'offrir cette nouvelle Jeep.

— Tiens-tu tes informations du shérif ?

— D'Adam Murdock. Il est passé au ranch juste après ton départ.

— Ah, il est passé au ranch ? s'enquit-elle d'un ton détaché qui ne trompa pas Jim.

— Il a fait un saut pour me mettre au courant.

— N'a-t-il... n'a-t-il rien dit d'autre ?

— Si. Qu'il avait beaucoup à faire. C'est un homme très occupé.

— Oh !

Jillian se tourna vers la vitre et contempla pensivement le paysage. Jim en profita pour sourire de toutes ses dents.

Elle attendit jusqu'à la nuit. Il aurait au moins pu appeler pour s'assurer que tout s'était bien passé. Elle avait préparé une demi-douzaine de discours. En vain. Le téléphone restait obstinément muet, la campagne désespérément silencieuse.

Quand elle sentit qu'elle allait hurler si elle demeurait enfermée une minute de plus, elle se décida à se rendre à l'écurie pour seller Dalila.

— Ah, les hommes ! s'exclama-t-elle en enfourchant sa monture. Si tout cela fait partie d'un jeu, je ne suis pas candidate.

Elle éperonna la jument qui fila comme une flèche dans la nuit.

La promenade nocturne lui rafraîchirait les idées. Une telle journée aurait pesé sur les nerfs de n'importe qui. Le retour du veau l'avait quelque peu consolée de la trahison de Joe Carlson. Ce dernier avait fait preuve d'une habi-

212

leté diabolique, dirigeant les soupçons sur les Murdock afin d'opérer en toute tranquillité. Jusqu'à ce qu'elle trouve un nouveau chef de troupeau, il lui faudrait travailler doublement.

Tant mieux, se dit-elle. Ce surcroît d'activité la distrairait de ses préoccupations. D'Adam Murdock. S'il avait voulu la voir, il savait très bien où la trouver. De toute évidence, il leur avait rendu un fier service à tous deux en la laissant choir trois semaines plus tôt. Il leur avait évité une situation bien plus pénible encore. Maintenant, ils suivaient chacun leur chemin, conformément à ses prédictions. Bien sûr, elle avait connu quelques moments de faiblesse, comme le matin même au Double M. Mais elle saurait se reprendre. D'ici quelques semaines elle serait bien trop occupée pour penser à Adam Murdock et à ses rêves impossibles.

Jillian prit soudain conscience que la jument qu'elle laissait trotter à sa guise la conduisait à l'étang. Mais cette constatation ne la contraria nullement. Malgré les souvenirs qui y étaient attachés, ce lieu resterait pour elle un havre de paix où elle se réfugierait chaque fois qu'elle serait en quête de solitude.

Une lune pleine nimbait la campagne de reflets argentés. Elle mit sa lassitude sur le compte de la fatigue. Pourquoi éprouver de la tristesse quand elle avait enfin réussi à récupérer son bien ? Pourtant, les larmes brûlaient ses paupières et elle se maudit intérieurement.

Quand elle vit l'astre livide se refléter à la surface des flots, elle ralentit l'allure. Seul le bruit des sabots de Dalila troublait le silence nocturne. Jillian put entendre l'étalon avant même que la jument ait senti sa présence... Le cœur battant, elle immobilisa sa monture maintenant nerveuse.

Adam déboucha de derrière un bosquet de peupliers et s'avança sans mot dire. Il savait qu'elle viendrait. Tôt ou tard. Bien sûr, il aurait pu attendre sa visite ou bien se rendre chez elle. Mais ce terrain neutre lui paraissait le plus propice à leurs retrouvailles.

Mieux valait affronter la situation maintenant et en finir au plus vite, se dit la jeune femme en mettant pied à terre. Elle constata que ses paumes étaient moites. Rien n'aurait pu l'irriter davantage. Dans un silence de mort, elle entrava sa monture. Quand elle se retourna, elle se retrouva nez à nez avec Adam qui l'avait rejointe dans l'ombre, aussi silencieux qu'un chat sauvage.

— Ainsi, vous voilà de retour.

Il posa sur elle un regard mi-grave, mi-rieur.

— Vous pensiez que je ne rentrerais jamais ?

Comme il l'avait prévu, la jeune femme redressa le menton.

— Je ne me suis pas posé la question.

— Ah ! Non ?

Il sourit et ce sourire aurait dû la mettre en garde. Car, aussitôt, il l'attira à lui et emprisonna ses lèvres. Il s'attendait à ce qu'elle se débatte mais elle lui rendit son baiser avec fougue.

Quand il s'écarta d'elle, elle s'agrippa à lui et enfouit son visage contre son torse. Elle ne l'avait pas perdu, pas encore.

— Serrez-moi fort, murmura-t-elle. Je vous en prie, juste un instant.

Comment pouvait-elle ainsi passer de la colère à la tendresse, en l'espace de quelques secondes ?

214

Il n'était pas encore parvenu à la comprendre tout à fait mais il ne désespérait pas d'y arriver un jour.

Quand elle sentit ses forces revenir, elle se ressaisit et s'écarta de lui.

— Je tiens à vous remercier pour votre intervention. Jim m'a tout raconté.

— Ne parlons pas du bétail, Jillian.

— Non, vous avez raison.

Elle joignit les mains et lui tourna le dos. Oui, il était temps qu'ils abordent le sujet qui leur tenait vraiment à cœur.

— J'ai réfléchi à ce qui s'est passé, à ce que vous avez dit lors de notre dernière entrevue...

Pourquoi les mots lui faisaient-ils soudain défaut ? Qu'étaient devenus tous les beaux discours qu'elle avait préparés, pleins de pondération, de logique ? Elle croisa et décroisa nerveusement les doigts.

— Adam, je persiste à me méfier des déclarations d'amour. Pour moi, les paroles ne signifient rien.

Elle lui fit de nouveau face comme si elle craignait qu'il ne relève son défi, qu'il ne lui témoigne son désir par des actes. Mais il la contemplait, immobile. Comme il est calme, se dit-elle. Cependant ses prunelles brillaient dans la faible lueur du clair de lune.

— Un seul homme n'a jamais trahi ma confiance : Clay. Je savais qu'il m'aimait sans qu'il ait jamais eu besoin de me l'avouer.

— Je ne suis ni Clay, ni votre père. Et personne ne vous aimera jamais comme je vous aime.

Il s'avança vers elle. Instinctivement, elle battit en retraite.

— Que craignez-vous, Jillian ?

— Rien.

Il s'approcha encore.

— Ne mentez pas.

— Eh bien, c'est vrai, j'ai peur.

Elle avait parlé comme malgré elle. Mais maintenant qu'elle avait commencé, elle ne pouvait plus s'arrêter.

— J'ai peur que vous cessiez de m'aimer, que vous preniez conscience que vous ne m'avez jamais vraiment aimée. J'ai passé ma vie à essayer de me protéger mais, sous votre impulsion, toutes mes défenses ont volé en éclats et je suis totalement à votre merci. Voilà trois semaines que je vis dans l'attente de votre retour.

Jillian respirait par saccades. Adam caressa tendrement son bras.

— Et maintenant que je suis rentré ?

— Je ne pourrais pas supporter que vous repartiez.

Elle posa une main contre sa poitrine et il l'attira contre lui.

— Jillian, ne comprenez-vous pas que le risque est partagé ?

— Peut-être.

Elle s'efforça de reprendre haleine.

— Mais je ne suis pas sûre que nous ayons le même espoir.

— Quel est le vôtre ?

La jeune femme s'humecta les lèvres avant de répondre.

— Devenir votre femme.

La surprise qui se peignit sur les traits d'Adam lui arracha une exclamation de dépit.

— Allez au diable !

216

Puis elle se dirigea résolument vers son cheval. Il l'attrapa par la taille et la souleva du sol tandis qu'elle se débattait.

— Quelle susceptibilité ! s'exclama-t-il avant de la plaquer au sol. J'ai l'impression que je ne suis pas au bout de mes peines avec vous.

Avec une patience infinie, il attendit qu'elle ait épuisé son répertoire d'insultes.

— Je comptais justement vous offrir de m'épouser. Mais vous ne m'avez même pas laissé le temps de vous donner les raisons de ma surprise.

Comme elle le regardait, médusée, il lui sourit tendrement.

— Vous êtes adorable. Non, ne protestez pas. J'ai l'intention de vous le répéter une vie durant. Alors, vous feriez aussi bien de vous y habituer tout de suite.

— Vous vous moquez de moi, dit-elle.

Mais il l'interrompit aussitôt :

— Je me moquais de nous deux.

Il effleura tendrement ses lèvres, avant de s'en emparer avec fougue.

— Maintenant...

Quand il fut certain qu'elle renonçait à lutter, il relâcha prudemment ses poignets.

— Je vous donne huit jours pour préparer votre départ.

— Mon départ ?

— Pas de discussion. Ensuite, nous prendrons une semaine pour nous marier.

Jillian restait maintenant parfaitement immobile. Elle flottait sur un océan de joie.

— Un mariage ne dure pas une semaine.

— Le nôtre, si. Quand nous reviendrons...

— D'où ?

217

— De n'importe où, pourvu que nous puissions nous retrouver enfin seuls.

Elle pressa ses lèvres contre sa joue.

— Regardez-moi bien en face et dites-moi encore que vous m'aimez.

— Je vous aime. Bien que je déplore votre sale caractère.

— Oui, je crois que vous êtes sincère.

Elle ferma les yeux un instant. Quand elle les rouvrit, ils rayonnaient de bonheur.

— Difficile de se fier à la parole d'un Murdock mais je vais risquer le coup.

— Et que vaut celle d'une Baron ?

— De l'or, répondit-elle en dressant fièrement le menton. Je vous aime, Adam Murdock. Je ne suis pas sûre de faire une épouse parfaite ni une associée de tout repos, mais je vous aime.

Il sourit et, à nouveau, leurs bouches s'unirent en un baiser brûlant.

— Que se passera-t-il quand nous reviendrons ?

— Vous possédez un ranch, j'en possède un autre. Rien ne nous oblige à les diriger ensemble. Par contre, un problème se pose : celui de notre cohabitation. Je ne pense pas que vous teniez à vous installer chez moi. Pas plus que je ne tiens à emménager à Utopia. Alors, nous construirons notre propre demeure, celle où nous élèverons nos enfants.

Nos enfants ! Comme ces mots résonnaient délicieusement à ses oreilles.

— Où se situera notre maison ?

Il regarda par-dessus l'épaule de la jeune femme et contempla la paisible étendue d'eau, la campagne endormie, si calme, si sereine.

— Ici, en plein sur cette satanée ligne de partage.

Jillian lui enlaça le cou en riant.

— Quelle ligne de partage ?

Ce livre de la collection Duo vous a plu.
Découvrez les autres séries qui vous enchanteront.

Série Désir
La série haute passion. La rencontre extraordinaire
de deux êtres brûlant d'amour et de sensualité.

Série Pays lointains
Des histoires d'amour palpitantes, des horizons
inconnus, des paysages enchanteurs.

**Chaque roman est proposé avec une fiche-tourisme
détachable en couleurs.**

Série Amour et Mystère
Quand la passion naît à l'ombre d'un secret...
Le mystère qui fascine et souvent bouleverse la vie
vous fera battre le cœur plus fort.

Série Coup de foudre
Action, sensualité, un cocktail enivrant
pour de surprenantes rencontres.

Série Romance
Rendez-vous avec le rêve et le merveilleux.
La série tendre et émouvante.

**Offre spéciale : 2 romans en 1 volume,
20,50 FF au lieu de 23 FF.**

Harmonie n° 97

MÖETH ALLISON

La cité des mirages

L'impossible revanche

Scénariste passionnée par son travail, Alicia
préfère l'amitié à l'amour, le calme de son
bureau aux enivrantes soirées d'Hollywood.

Mais tant de sagesse ne saurait résister à une
profonde déception professionnelle... Blessée,
avide de s'étourdir, la jeune femme revêt un
fourreau de soie verte et décide que la nuit
sera une fête.

Folie sans lendemain ? Non. Pour Alicia,
la vraie vie commence, entre un goût
d'amertume et un parfum de fleurs.

Série *Harmonie*

Achevé d'imprimer sur les presses de l'Imprimerie Bussière
à Saint-Amand-Montrond (Cher)
le 21 mars 1986. ISBN : 2-280-83098-1
N° 210. Dépôt légal : avril 1986. Imprimé en France

Collections Duo
53, avenue Victor-Hugo   75116 Paris